新　潮　文　庫

ここで死神から残念なお知らせです。

榎田ユウリ　著

新　潮　社　版

10138

第27896回死神考査・日本国用

管理 No. ____________________

Code Name ____________________

【問1】

人間が死を恐れる根本的な理由を下記から選べ。

A．家族と別れたくないから
B．死ぬ時に苦しそうだから
C．死んだことがないから

【答】__________

【問2】

人間が死を拒絶した場合、説得として最も効果のあるセリフを下記から選べ。

A．「誰でも一度は死ぬんだから」
B．「天国でおばあちゃんが待っていますよ」
C．「なら勝手に、そのまま腐ってしまえ」

【答】__________

【問3】

死の通告に対し、人間がパニックに陥った場合の適切な処置について、
最も効果的とされる方法を下記から選べ。

ここで死神から残念なお知らせです。

_Kokode
_Shinigamikara
_Zannenna
_Oshirasedesu

榎田ユウリ

_edayuuri

1

うたた寝から、ふ、と目覚める。

日が昇ってた。

朝がきてた。

俺は思った。今日もなにもしなかった、と。

厳密にいえば、なにかしらはしている。ひきこもり歴も長いとはいえ、基本的な生命活動は避けようもない。少なくとも息を吸っている。吸った以上は吐いている。不健康に偏《かたよ》った飲み食いもしている。となればクソもする。尻だって一応拭《ふ》く。時々、ペーパーに血がつく。食物繊維が足りないのか、便秘気味で切れ痔《じ》になりつつあるようだ。けれど、ドラッグストアで痔の軟膏《なんこう》を買う勇気がない。あ、こいつ痔なんだ、なんかそういう顔してるもんな、ケツの穴が難儀そうな顔だよな、絶対モテないよな、アハハハハハ……と店員に心の中で嘲笑《ちょうしょう》されるのが怖くて買えない。

人生がつらい。

生きているだけなのにつらい。

こたつから立ち上がる。それだけで、老人みたいにふらつく。

目が痒《かゆ》くてゴシゴシ掻《か》いた。指に黄色い目脂《めやに》がつく。パーカーの脇《わき》になすりつけて、狭い洗面所に入る。蛇口を捻《ひね》る。給湯システムが古いのでなかなかお湯にならない。水のままで適当に顔を洗ったが、あまり冷たくない。今日はそれほど寒くないようだ。何日洗っていないのかわからないタオルで顔を拭き、水垢《みずあか》だらけの鏡を見た。ぼんやりと自分の顔が映る。

死神。

中学の頃のあだ名だ。

誰かが初めてそう呼んだ時、クラスじゅうがドッとウケた。教師など、手を叩《たた》いて笑っていた。俺はなにも言い返せず、にやにや笑ってごまかした。痩《や》せてて、猫背で、陰気で無口。重たい一重瞼《まぶた》に、ボサボサの眉《まゆ》。じきに三十になろうとしている今も、背が伸びただけで、見てくれはほぼ同じだ。俺は他人に道を聞かれない。生まれてこのかた、一度も聞かれたことがない。夜道で、俺の前を歩いていた女が何度か振り返り、突然ダッシュして走り去ったという経験は、過去十年で十三回ある。要するに、そういう外見なのだ。

いいけど。べつに構わないけど。

タオルを洗濯機の中に放り込んだ。そろそろ洗濯をしようかと思って、洗剤を切らしているのを思い出す。予備はない。買わないとない。

なんだかいろいろ面倒くさい。

生きてるだけで面倒くさい。

洗剤と痔の薬を買うのが果てしなく面倒くさい。俺はなるべく人と話したくない。関わりたくない。孤独を愛する男なのだ。

ただし、相手が俺に好意的なら話は別だ。

たとえば――ドラッグストアの女性店員が、俺にずっと片想《かたおも》いをしている、一見地味めだけどちょっと可愛《かわい》い眼鏡っ娘《こ》で、俺が痔の軟膏を買ったのを見て、スリムでアンニュイで孤高な雰囲気がたまらなく素敵なあの人が、痔だなんて嘘《うそ》みたい、可哀想《かわいそう》、でもそのギャップに母性本能が擽《くすぐ》られてますます好きになっちゃう、どうしよう、ああもう告白するしかないわ、あなたがずっと好きでした、よかったら私にその軟膏を塗らせて下さい、そしてもし私がいつか痔になったら、その時はあなたに塗ってほしいの、だってあなた以外に頼めない、あなたには私のすべてを見せられるの……と、思ってくれるならば関わってもいい。

いや、待てよ。

眼鏡っ娘とつきあうようになった場合、彼女の友達に会う展開も考えられる。

女というのは、なぜか自分の彼氏を友達に会わせたがるらしい。自慢したいのか、あるいは一種の品評会的なノリなのか？　とにかく『彼女の女友達に会うイベント』は発生率が高い。ねえ、お願いがあるの。あなたを親友のマユたん（仮）に紹介したいの、自慢のカレを見せたいの。来週、一緒にイタリアンでも食べにいきましょうよ。でもどうしよう、マユたんがあなたのこと好きになっちゃったりしたらどうしよう……だって私の親友なんだから、あなたの魅力に気づかないはずないもの。やだやだ心配になっちゃった、想像だけで涙が出ちゃう、やっぱりやめる、誰にも会わせたくないの、いつまでもずっと私だけのあなたでいてほしいから……。

よし。回避ルートを見つけた。これで彼女の親友マユたんと会わなくてすむ。

いやいや、待て。

友人はともかく、将来的には彼女の親に会うんじゃないのか。俺は孤独を愛する男だが、女はやっぱり結婚したいものだろう。結婚となれば家と家の問題だ。うわあ、想像しただけで面倒くさいぞ。なんとか彼女の両親に会わずにすむ方法はないものか。駆け落ちはどうだ。だがそれは結婚の許可が得られなかった場合の手段であって、『彼女の両親に紹介されるイベント』はそれ以前の問題だ。ねえねえお願い、パパとママに会ってほしいの、私たちが運命と真実の愛に満ちていることを両親に理解してもらいたいの、だから今度の日曜日に来てくれないかな、うちは歌が好きな一家だから、みんなでカラオケに行きましょう、ママのユーミンを褒《ほ》めてあげてね、パパのサザンはハモってあげて。あなたもちゃんと歌ってね、でもアニソンはダメよ、アニメの歌とかはナシだから。曲がいいとか悪いとかじゃないの。ほんとダメだから、あり得ないから。しかも深夜枠の美少女アニメとか最悪。ゲームの曲？　愚問。論外。絶望的。信じられない。マジ勘弁して。

…………無理だ。

どう考えても無理だ。

凡庸たる一般人である彼女の両親が、俺の存在を認めるはずがない。彼らにはわかるまい。孤独を愛し、今はひたすら頭を低くして、アニメやゲームを心の支えとし、世に出るきっかけをじっと待っている俺という人間の存在価値を、凡人に理解せよというのは酷な話だ。

きっと彼らは俺を見て、死神に会ったような顔をするだろう。あるいは不快害虫を見るような目を向けるだろう。いっそ害虫なら踏みつぶせるのに、こいつ下手に人間だから困る、へんなことを言えばこちらが差別しているように見えるじゃないか、困るんだよ、空気読めよ、ニートのオタが。

……そんなふうに思われるに決まってる。

だから。

やっぱり。

俺はこのままでいいんだ。ほっといてくれ。他人と話したくない。関わりたくない。引き続き孤独を愛する男だ。再び鏡を見る。鼻毛が一本出てる。引き抜いたら、痛くて涙が滲《にじ》んだ。

さようなら、ドラッグストアの眼鏡っ娘。

さようなら、妄想のひととき。あと、鼻毛。

俺はいつもなにもしないまま一日を終えるけれど、妄想だけは頻繁にする。

これはいわば、思考の訓練、物語力の鍛錬だ。仕事に必要なスキルだ。俺は現在収入を得ていないが、かといって無職とは言い切れない。今は、いわゆるひとつの準備期間だ。助走中だ。頭の中でアイデアを練っているのだ。

適材適所という言葉がある。

俺は身体《からだ》は使わない。無理をして自分に合わない仕事を……たとえば工事現場の肉体労働だとか、道路工事の交通誘導だとか、深夜のコンビニだとか倉庫の商品管理だとか工場での単純作業だとか、そういうことはしない。俺はクリエイターだ。だからクリエイトするのが仕事だ。なにをクリエイトすべきなのかが問題であり、それを模索しているのだ。もう十年ばかり、探し続けている。

この忍耐力。そして孤独と戦う力。

いや、孤独を甘受し、愛する力。それを持つ者だけがクリエイターになれる。俺の戦いは目に見えず、だからこそ他人に軽んじられる。

洗面所を出て、こたつに戻る。

手を伸ばし、カーテンを少し開ける。冬の太陽光が眩《まぶ》しい。

昼夜逆転生活を送る俺にとって、朝は一日の終わりだ。今日もなにもしなかった。俺という存在が社会へ与える影響力はゼロに等しい。助走期間なのだから仕方ない。暮らしていけるのは父親からの仕送りがあるからで、それなりに感謝はしているが、そもそも俺を世に生みだしたのは親なんだから、そこは責任というものだろう。

なのに先月から仕送り額を減らされてしまった。

困惑したが、電話はしなかった。父親とは喋《しゃべ》りたくない。俺はどんな他人よりも、あの人が苦手だ。たぶん、向こうもそうだ。かれこれ十年、父とまともに喋っていない。

時計を見る。七時三十五分。

こたつを出る。アパートの大家からもらった、というか、押しつけられたこたつは壊れていて暖かくはならない。つまりこたつの形をした座卓だ。いらなかったのに「いりません」と言えなかった。もらうつもりはなかったので「(もらうことができなくて)すみません」と言ったら、「お礼なんていいのよ」と笑って、こたつを置いていった。

ちげーよ、と心の中で毒づいたがどうしようもない。日本語の『すみません』にはいろんな意味がありすぎて問題だ。仕方なく、冬場は下にホットカーペットを敷いて使っている。エアコンは電気代が嵩《かさ》むのでなるべく使用しない。この部屋にあるのは壊れたこたつと、安物のパイプベッドと、ほとんどマンガの本棚。テレビ台とテレビ、ゲーム機がいくつか……それくらいだ。

部屋着兼寝間着にしてるスウェットを脱いで、ジーパンを穿《は》く。

ユニクロで買った黒いセーターを着る。

俺の服はだいたい黒い。孤独な男はやっぱり黒だろう。それに、汚れが目立たなくていい。脱いだスウェットのにおいを嗅《か》いでみる。まだいけそうだった。スウェットをベッドの上に置き、ミリタリー風のフード付きジャケットを、カーテンレールにかかってるハンガーから取る。ずいぶん前に古着屋で買ったものだ。

ドアを開ける。1Kの部屋を出る。

二月にしては寒くなかったが、ポケットに手を入れる。猫背で歩き出す。なるべく下を向いて、他人と目を合わせないようにする。

日に一度の外出は、自分に課した義務だ。

孤独を愛する俺は基本的に外に出たくないのだが、ひとり暮らしで完全にひきこもることは難しい。たまには、どうしても出かけなければならない事態が発生する。

ふだん外出をしていないと、そのような非常事態において、極端な精神的圧力を感じるようになる。そんなのはごめんだ。あとでまとめてドカンとつらいより、日々ちまちまちとつらいほうを選ぶ。このご時世、深夜にうろつくのは不用心だし、明るすぎる日中は苦手、となれば、朝しか残されていない。

目的地までは、徒歩七分。

途中にコンビニがあるので、帰りに買い物をすませることも多い。公共料金の支払いなどもする。この世からコンビニがなくなったら、俺はどれだけ絶望するだろう。

コンビニの前を通りかかった時、親子連れが出てきた。

二十代後半の女と、四、五歳くらいの男の子だ。

しまった、と思った。知ってる顔だったからである。基本的に他人と没交渉な俺だが、さすがに隣の部屋の住人くらいは覚えている。覚えたくもなかったが、玄関先で数度出くわしているのだ。

眼前に、重いタスクがぶら下がる。

挨拶《あいさつ》、しなければ。

ありきたりな言い回しのひとつに『挨拶もろくにしない』という非難がある。つまり挨拶は人間として最低限すべきことなのだ。残念ながらそういうくだらないルールがこの世には存在し、ルールを守れないと人間失格のレッテルをべたりと貼《は》りつけられる。

だから挨拶はしなくてはならない。げんなりするが、しなくてはならない。朝だから、おはようございますと言えばいい。あるいはもっと短く、どうも、だけでも可だろう。ど、う、も。たった三文字だ。なのに、咄嗟《とっさ》には言えない。孤独を愛する俺には準備が必要なのだ。声の大きさはどれくらいがいいのか。イントネーションはどんなだったか。母親に言うべきなのか、子供に言うべきなのか。本来、緻密《ちみつ》なシミュレーションを要する作戦なのに、今は時間がない。

ゴクリと唾《つば》を飲む。

男の子が俺を睨《にら》み上げた。目ばかり大きくて、貧相に痩せたガキだ。

母親も俺に気がついていた。いかにも量販店で買ったっぽい、白のダウンコート。きつい化粧には品がない。眉間《みけん》に皺《しわ》を刻んで不愉快そうな……いっそ敵意と言ってもいい表情を見せている。なんでそんな顔をされなきゃいけないんだよと思ったが、もしかしたら俺が進行方向を塞《ふさ》いでいるからかもしれない。

だとしたら、どかなければ。

いや、どく前に挨拶か。挨拶しながらどけばいいのか。どうも、といいながら動けばいい。右に？　左に？　あるいは右斜め、前進よりも後退すべきなのか？

関節が硬直する。考えすぎて動けなくなる。

母親の苛《いら》つきが伝わってくる。

仕方ない。

日和《ひよ》るような真似《まね》はしたくないが、この場をごまかすには多少の笑顔が必要だろう。

笑え、俺。

頬肉と、口角を上げればいい。笑え。やれ。死ぬ気で頑張れ。

「……キショ」

すれ違いざまの、声。

俺が動けないでいるうちに、母親のほうが脇をすり抜けて行った。左手に大きなバッグとコンビニの袋を持ち、右手は子供の手を摑《つか》んでいる。子供は俺を見上げたまま、母親の真似をして「キショ！　キショ！」と叫びながら遠ざかる。

俺は呼吸も忘れて、固まっていた。

なんなんだ、あいつら。

母親がいなければ、ガキを蹴飛《けと》ばしているところだ。

いや、蹴飛ばすべきは母親なのだろうか。キショイとか、キモイとか、子供にそんな言葉を教えるべきではない。しかも、彼女は俺が隣の住人だと知って言っている。ろくな女じゃない。

くっそう、見てろよ。

きっと後悔するぞ。いつか俺が真価を発揮したときに後悔する。

俺の作品が世に認められて、先生先生とちやほやされて、ボロアパートは引き払い、六本木あたりの億ションに住むようになって、テレビのトーク番組なんかにも出るようになって、その番組を観《み》ながら「やだ、この人って隣に住んでいた人じゃない、すごい、ああ、あの時に知り合いになっておけばよかった、失礼なこと言わなければよかった」と思っても遅い。その頃にはガキは成長して生意気になって、母親に向かって、ババア死ね、とか叫んでる。不良少年はどんどん道を踏み外し、そのままダメな大人になる。つまり、女にもてなくて、仕事もなくて、友達もいなくて、ひきこもりも同然でずっと孤独で、近所にろくに挨拶もできない…………。

なんかそんな奴《やつ》、知ってるな……。

すごくよく知ってる。でも考えるのはやめよう。ここでやめよう。君子危うきに近寄らずだ。思考停止を自分に命じながら、俺は再び歩き出した。

目的地はカフェである。

というより、喫茶店か。古ぼけた赤い庇《ひさし》に、ステンドグラスの嵌《は》まったドア。控えめに書かれた店の名前は『ニルバーナ』……その単語にはなにか意味があったような気もするが、よく知らない。ロックバンドの名前かなんかだっけ？

店名はいまいちだと思うが、ここのモーニングセットは悪くない。

厚切りトースト、ゆで卵、ミニサラダ。コーヒー。

以上でワンコインの五百円だ。

朝七時半から開店しており、早朝の客はほぼ常連。かくいう俺も常連なわけだが、このマスターは常連を常連扱いしない。そこが俺は気に入っている。

「どうしたの、今朝は遅かったじゃない、寒いよねえ、午後から天気崩れるらしいよ、そうだ、いい豆が入ってきたんだけど飲んでみない？　いやいや、タダじゃないよ、この豆高かったんだから勘弁してよ、アハハハ、そういえばさ、クリーニング屋の山田さんの話聞いた？　驚いたよね、あの山田さんが浮気とはねぇ………なんて具合に話しかけられる事態は、死んでも避けたいのだ。その点、『ニルバーナ』の寡黙《かもく》なマスターは、三六五日安定の他人行儀である。もう二年くらいほぼ毎日通っている俺を見ても、淡々と「いらっしゃいませ」と言うだけだ。目を合わせることすら稀《まれ》で、孤独を愛する俺としては評価に値する。

かくして俺は、今朝も『ニルバーナ』のドアを開ける。電子音が鳴ったり、へんなチャイムが響いたりはしない。古い扉はただギィィと唸《うな》るだけだ。

糊《のり》のきいた白いシャツのマスターがいつものごとく「いらっしゃいませ」と伏し目がちに言う。俺はペコリと頭だけ下げて、店の奥へと進む。入ってすぐには六人が腰掛けられるカウンター席があり、マスターはその内側でコーヒーを淹《い》れていることが多い。

カウンターを通りすぎると、テーブル席になる。

ふたりがけが四組、二組ずつが背の高い観葉植物で仕切られている。ふたりがけ席は、くっつけて四人席にするのも可能だ。つまり『ニルバーナ』の最高収容人数はカウンター六人とテーブル八人の、計十四人である。もっとも、せいぜいその半数程度の客しか見たことがない。

今日はカウンターにふたり、テーブルにふたりいた。俺で五人目だ。

一番奥のテーブル席に座る。あいている限り、ここが俺の定位置だ。隣のテーブルは無人。俺からすると背中側、観葉植物を挟んだ向こうにひと組の客。男女だが、カップルではない。友人同士でもない。見ればわかる。

すい、と水のグラスが差し出される。マスターは足音すら無口である。

「モーニングセット……アメリカンで」

「かしこまりました」

くぐもった俺の声と、涼やかなマスターの声。

いつものやりとりが俺を安心させる。俺だって、決まったやりとりならちゃんとできるのだ。コンビニ前での一件は、あまりに突然すぎてうまくいかなかっただけだ。

まったく腹立たしい親子だ。

思い返すだけで胃がムカムカしてくる。あんな奴ら、

「死ねばいい」

背後から届いた声に、ぎくりとした。

自分の心の声が無意識のうちに出たのかと思ったのだ。けれどそれはモゴモゴと聞き取りにくい俺の声ではなかった。男にしては高く、甘い声音で、滑舌も明瞭《めいりょう》で聞き取りやすく、物騒な台詞《せりふ》なのに弾むような明るさすらある。

「苦しまず、楽に死ねればいいのに、と思うでしょう？　ねっ、齋藤《さいとう》さん」

なんだ……「死ねばいい」ではなく「死ねればいい」だったのか。

びっくりさせるんじゃねえよと内心で毒づき、俺はスマホをいじるふりをしながら、その声に耳を傾ける。

「世界保健機関の調べによりますと、日本人の平均寿命は二〇一四年調べで84歳、世界最高ですって。ちなみに男性は第八位で80歳。女性がすごいんですよ、堂々の第一位で87歳。平均して87ですからね。実際のとこ、日本人女性の半数くらいは90歳になっても生きているわけです。いやいや素晴らしいですよね。『人間五十年、下天の内をくらぶれば～』って織田信長は舞ったらしいですけど、今や人生は五十年どころじゃないわけです。ただ、そりゃ90歳になっても元気潑剌《はつらつ》ならいいんですけどね……実際のとこ、やっぱりあちこちガタがくるわけじゃないですか。齋藤さんだって腰と膝《ひざ》が痛いんでしょ？　やですよねー、つらいですよねー。あ、ところで信長得意の『人間五十年音頭《おんど》』……じゃなくて、『敦盛《あつもり》』か。あれって能だと思ってません？　だって映画とかドラマで、いかにも能っぽく舞ってるし！　でもねー、違うんですって、能じゃないんですって。幸若舞《こうわかまい》っていうらしいですよ。いや、能にも『敦盛』はあるんですけどね。別モノだそうです。信長はそっちは舞ってない。人間五十年ソングもない。でもたぶん、日本人の九割は間違って覚えてると思うなあ。信長は『敦盛』という能を好んだ、って。齋藤さんもそう思ってらしたでしょ？」

うざい……。

めちゃくちゃおしゃべりな男である。

一方、齋藤さんと呼ばれた老婦人は「まあ、そうなの。知らなかったわ」と穏やかな声で返事をした。ワサワサと葉の茂ったグリーンの後ろ——ちょうど、俺と背中合わせの位置にいる。もしかしたら常連客かもしれない。ちょくちょくばあちゃんが来るのは覚えているが、俺からすると、年寄りなんて似たり寄ったりだ。

「あれだったかしら。信長さんは天下を統一した人だったかしら」

「してないですね。しようとしてあれこれ頑張って、いいとこまでいったけど、家臣に裏切られて死んじゃった人です」

「まあ、可哀想に」

しみじみと、齋藤さんは答えた。

「ホント可哀想です、当時は死亡保険もないわけですから、遺族には一円も入らない。

それどころか跡継ぎ問題で揉《も》めちゃって、結局秀吉に仕切られちゃうし。死に損ですよねー。その点、今は素晴らしい時代！」

バサッと紙束のようなものを広げる音がした。

俺は一度下を向き、それから首を不自然にねじ曲げて背後を窺《うかが》う。観葉植物の葉の隙《すき》間《ま》から、後ろの席を観察してみた。小柄な白髪の後頭部があり、その向かいに座っている男はスーツ姿だ。

なんだ？　あいつ。

スーツを着ているのに、まったく会社員っぽくない。

黒地にストライプのスーツ、グレーのシャツにシルバーのネクタイ。服のことはよくわからない俺だが、高級かつ派手な印象のせいでサラリーマンらしさがないのだ。髪型も、勤め人には見えない。パーマなのか、生来の癖毛なのか、波打つ長めの髪を後ろに流したスタイルはモデルか芸能人みたいだ。顔はよく見えないが、声の感じではまだ若い。俺より少し下……二十六、七だろうか。

そいつはテーブルの上に書類を並べながら「資料をお持ちしたんですよ～」と朗らかに言う。

「定期保険、終身保険、医療保険にがん保険、養老保険に年金保険に、こども保険……はもう関係ないか。とにかく保険はあなたのご心配に寄り添う心強いパートナーです。

とくに昨今は不安の多い時代ですし。ま、今までの人間の歴史で、不安のない時代なんてなかったんですけどね、アハハハハ」

ああ、保険の外交員か。

俺は顔を戻してフンと鼻で笑った。客の顔色を見て、下手に出て、おべっかを使っていう……営業職というのは気の毒なものだ。気の毒なのは男のほうだけではない。齋藤とかいうばあちゃんもまた気の毒である。老後の蓄えがそうあるわけでもなかろうに、あの調子のいい男に丸め込まれて、契約書にサインし、虎《とら》の子の貯金を切り崩し……。

待てよ。

さっき見た頭は真っ白だった。何歳なのかはしらないが、どのみち生命保険の契約をするには遅すぎやしないか。生命保険というのは、確か死んだ時に金がもらえるというシステムのはずだ。この先がそんなに長くない人間が契約できるものなのか？　ちょっと気になったし、どうせヒマなので『保険 高齢 契約』とスマホに入れて検索してみる。

検索結果がいまひとつ絞りきれず、よくわからんなと思っていると、

「齋藤さんはもうすぐ80歳でしたっけ？　ぜんぜん見えませんー。お若いですー。お肌もツヤツヤなさってて」

とお世辞が聞こえて来た。今度は『保険 80歳』で検索する。……へえ、あるんだ。今時は80を過ぎても入れる保険があるらしい。

無選択型保険に、引受基準緩和型保険、入院保障もあり……けど、仮に病気になったとしても、年寄りってあんまり金がかからないようになってるんじゃなかったか？　興味がないからよく知らないのだが。

「おまたせしました」

スマホを弄《いじ》っているあいだにモーニングセットが届く。

俺は小さく頷《うなず》いて、少し身体を引いた。トーストの皿、サラダの皿、コーヒーカップ。ゆで卵はトースト皿の端、小さな容器に入って乗っている。トーストの上にはバターがひとかけら。半分溶けた、だらしのないバターだ。でもかっちりと冷たいバターは塗りにくいから、これでいい。一見だらしなさそうに見えても、実はそれでいいというものが、この世には存在する。たとえば俺の現状もそうかもしれない。いまのところ俺の才能は開花しておらず、世間的には無職の半ひきこもりだけれど、俺みたいな奴がいるからこそ、安心していられる連中もいるんじゃないのか？

たとえばあの派手な保険屋だってそうだ。

会社員、労働者、雇われ者、社畜、言い方はなんでもいいが、食うためにしんどい思いをして働いてる連中は、俺みたいな存在を見たらきっと安心する。自分より下がちゃんといるって、自分はまだだいぶマシだって、溜飲《りゅういん》を下げる。

いつも比べてる。自分と人とを比べている。

人間の価値なんて絶対的なものじゃない。他者と比べないと実感できない、あくまで相対的なものなんだろう。だからいつも誰かと比べて、優越感や劣等感に揺さぶられる。くだらない。こんな社会であくせく働くのがますますいやになる。俺はやはり孤独を愛し、かつ己の才能を信じるべきだ。

トーストを手にする。

香ばしいにおいなのに、あまり食欲をそそられない。きっと、コンビニ前での不愉快な気分を消去できないでいるからだ。俺は繊細なので、ああいう言葉の暴力はかなり引きずってしまう。精神的打撃の慰謝料を請求したい。

「保険ねえ……この歳《とし》で入ってもしょうがないんじゃないかしら……」

「そんなことはありませんよ。今回に限っては、遅いということはないんです」

「それに、私は血圧がちょっと高いのよ。加入に問題ないのかしら……」

「ないです、ないです、問題ないです。最近の保険は病歴のある方にも対応してますから、もう、ぜんぜん平気。いいですよー、保険は。病気になっても安心だし、亡《な》くなったら亡くなったで、死亡保障というものが出ます。さて、ここで素敵なお知らせが！　なんとこの世に死なない人間はいません！　人生で一度も病気にならない人が稀にいたとしても、一度も死なない人は絶対にいないんです！　みんな死にます。全員死にます。この点だけは、お約束できます！」

アホか。

うるさいを通り越して、もはや躁《そう》状態である。人間がみんな死ぬことをさも嬉《うれ》しそうに語るなんて、保険の営業マンとしてどうなんだ？　そりゃ誰でもいつか死ぬだろうけど、死んだ本人は保険金を受け取れないじゃないか。バカらしい。俺だったら絶対にこんな奴とは契約したくない。だが齋藤ばあちゃんの心は広く、「面白い方ねえ、あなた」などと笑っている。のんきな人だ。

「それにとても明るい。そういう保険屋さんって、いいわね。暗い顔で死んだ時の話なんかされたくないもの」

「ですよね。僕も常々そう思ってます」

「私、あなたに似た人を知ってるわ」

「僕に？　それってどなたです？」

「絵の中なの。私の好きな絵。マリア様のところにいらした天使に、あなたとっても似てるの。ウェーブのある髪で、額がきれいで」

「ああ、齋藤さんクリスチャンでしたもんね。もしかして受胎告知かな。だとしたら、僕、大天使ガブリエル？　すっごいですね！」

男がわざとらしく喜んでいる。はいはい、天使天使。つくづくくだらない会話だ。俺はゆで卵を剝《む》きながら、なかなか剝《は》がれない薄皮にイライラする。

「そうですか、大天使かあ。じゃ、僕も齋藤さんに告知しちゃおうかな。あ、受胎はしてませんから安心してください。そうじゃなくてですね、これ、ほんと、ここだけの話なんですが……」

騒々しかった男の声がいったん低くなる。

俺はタマゴを剝く手を止めて、耳をそばだてた。たとえどうでもいい会話であっても、突然聞こえにくくなると気になるものだ。

「齋藤さん。残念ですが、あなたはもう死んでます」

…………。

……………はあ？

なに言ってんの、こいつ？

「あら。私ったら死んでいるの？」

「はい。ご愁傷様です」

「まあ」

まあ、じゃないだろう、ばあちゃん！

そんなわけないだろうが。死体がどうやって自分で歩いて喫茶店まで来るんだよ！

死体がコーヒー飲むかよ！ どう考えたって騙《だま》されてるに決まってて……そうか、これって詐欺《さぎ》なんだ。年寄り狙《ねら》いの、保険勧誘と偽った詐欺！

　俺は振り向いた。

　ほとんど反射的に、なんの用心もせずに振り向いた。

　スーツを纏《まと》った男と目が合う。次の瞬間、俺は息を呑《の》んだまま顔を戻す。前髪が揺れるくらいの勢いで、だ。

　……………やばい。

　なんか、やばいもん見た。

　無意識におしぼりを握りしめていた。とっくに冷たくなっていたおしぼりは、ちっとも俺の気持ちを宥《なだ》めてくれない。怖い。正直びびっていた。心臓がギュッと一回り縮んだみたいだ。なんだ。あれは、なんだったんだ。

　大きな、目。

　黒い。くろぐろと、黒い。

　瞳《ひとみ》が黒いのは当たり前だし、そんなことでは俺だって驚かない。問題は、瞳以外の部分まで黒かったことだ。本来なら白目であるはずの部分、つまり眼窩《がんか》全部を塗りつぶしたみたいな……ホラー映画に出てくる幽霊とか死霊《しりょう》とか化け物とか、そういう系の、黒い目。それに、あいつ、笑ってなかったか。俺を見て笑ってなかったか？　やけに赤い口の両端をニッと引き上げてはいなかったか？

　完全にびびっていた。説明のつかない原始的な恐怖を感じた。

男が席を立ち、こっちに来るのではないかと、ビクビクしながら下を向き続けていた。

だが奴が立ち上がる気配はなく、齋藤ばあちゃんとの会話が続行するだけだ。

「お気づきになっていないようなので、僭越《せんえつ》ながらお知らせにあがったんですよ。自分のことって、自分が一番わからなかったりするものです」

「そんなことって、あるわねえ」

「ありますよねえ」

「私、死んでるのかしら……」

「死んでます、死んでます」

続けて二回いい、さらに明るく「ばっちり死んでます」とつけ加えた。俺がめちゃびびってる後で、とぼけた会話は続く。でも齋藤ばあちゃんは怖がっていない。不審がる様子もないし……だとしたら、さっき見たものはなんだったんだ？　あの不気味な目は俺の思い込み？　あるいは朝日の差し込み具合が見せた幻？

……だよな。

よくよく考えてみれば、あんな顔の人間がこの世にいるわけない。

きっと俺の目がどうかしてたんだ。あれかな、最近やりこんでるホラー系エロゲの影響かもしれない。やっぱりエロゲは明るい美少女ハーレムものに限る。

となると、やっぱり奴は詐欺師なのか？

「大変。死んでるとしたら、牧師様のところに連絡しないと……。あ、でも私、息してるわ。ほら、ふぅぅ〜」

齋藤さんが息を吐く音が聞こえる。俺まで一緒にふぅぅ〜と吐いてしまった。そうだよ。死んでたら息してないだろ。そのへんどうなんだ、詐欺師。

「死んでても呼吸はできるんですよ。呼吸というか、正しくは『呼吸に似た動き』ですけどね。なにぶん、生きているあいだはずっと呼吸していたので、その感覚がまだ続いていて、なんとなーく、動かしてます。胸郭とか、横隔膜とか、そのへんを。でも酸素は取り入れてないんです。従って、二酸化炭素の排出もしてませんし、ATPも生成してません」

「なんだか難しいわ」

「じゃ、簡単に。つまり、呼吸する癖《くせ》が残ってるということです」

「癖？」

齋藤ばあちゃんとほぼ同時に、俺まで小さく「癖？」と呟《つぶや》いていた。

「はい。齋藤さんが動いているのも、同じ原理です。生きているときに身体をどう動かしていたのか、その記憶で動いてます。癖というか、習慣というか。ご自分が死んでいることに気がついていないので、動けちゃうんです」

「いやだわ、ゾンビみたい」

「いえいえ、ゾンビとは違いますよ。ゾンビは基本、自意識がありませんし。だいたい、あれ、フィクションですよ。作り物ですから、アハハハハ」

「そうだったわね、ウフフフ」

……なに和やかに笑いあってんだよ。

ゾンビをフィクションと認識しつつ、目の前の人間を『死んでいる』というのか。それっておかしいだろ。おかしすぎるだろう。齋藤ばあちゃん、しっかりしろよ。もしかしてあれか、認知症とかいうやつなのか？　そういう人を狙う詐欺なのか？

俺は最早《もはや》、モーニングセットどころではない。

「でもねえ、死んでると言われても……なにかピンとこないのよ。私はいつもと同じようにしているつもりだし」

「ええ、そうでしょう。よーくわかりますよ。いつもと同じ……実はそこがポイントなんですよ」

「ポイント？」

「ポイントです。大切なとこです。ご説明しますね」

俺は意を決して、もう一度振り返ることを試みた。今度はいきなりではなく、じわじわと、息すら殺して、相手に気がつかれないように首を捻っていく。不自然な姿勢になって、首筋が攣《つ》りそうだ。

「事故などで突然死んでしまった場合。これは問題がないんです。身体も心も大きな衝撃を受けますから、当事者は自分の死を感知できます。病気の場合も、まずそうですね。病院にいれば医師が何時何分、息を引き取りました、って教えてくれますし」

「ええ、教えてくれるわね」

あれ？

なんだ、普通じゃないか。

普通の顔……いや、普通よりだいぶ色男だ。

目も当然正常で、黒いのは瞳だけ。声は若かったけれど、実際は俺とそう変わらない歳だろう。眉は描いたみたいな弓形で、その下の目はぱっちりと大きく、睫《まつげ》が長くてキラキラ輝いちゃってる。いわゆる王子様顔ってやつだ。女がキャーキャー喜びそうな軟派な顔……齋藤ばあちゃんが天使と言ったのも、多少はわかる気がする。あれなら女に不自由しないだろう。

チッ。生きて行くのが楽そうな顔しやがって。

今更ではあるが、人生ってのはまったく不公平だ。俺なんか景気の悪い死神顔だから、詐欺師にすらなれない。

「生と死のあいだには、【区切り】が必要なんです」

キラキラ男は語った。

「生物学的にいえば、死という現象は一連の流れであって、実は一瞬ではないんですが……人間社会における死は『瞬間』として訪れます。何月何日何時何分何秒に死にました、という具合ですね。長いことそういう認識できたものですから、まれにその【区切り】が弱いと、死に気づかない人がいる」

「私がそうなの？」

「はい」

「私は、自分の死に気がついていないの？」

「そうです。厳密にいえば、齋藤さんの【魂】が死に気づいてない」

はい、出た！

出ましたよ、たましい〜。

こういう単語が出てくると、うさんくささ百倍だ。だが、クリスチャンらしい齋藤ばあちゃんは、感じ入ったように「魂……」と呟く。おいおい、赤子の手を捻るようなもんだな……。

「【魂】は肉体より強靭《きょうじん》です。肉体が滅びつつある状況でも、【魂】の力が強ければしばらくのあいだ肉体を制御するのが可能なんです。齋藤さんのように、眠ったまま、ひとりで静かに死んでしまった場合、【魂】が死を認識しにくくて、次の日の朝、フツーに起きて生活を続けちゃったりするんですよ」

齋藤ばあちゃんは、また「まあ」と言ってコーヒーカップを手にした。

どんな表情をしているのか俺の位置からは見えないが、疑っている口ぶりではない。

ばあちゃん、そろそろ気づこうよ。あんた騙されそうになってるんだよ。顔がいい奴ってのは苦労を知らずに育つから、道を踏み外すケースもあるんだって……。

「死んだのに、神様の許《もと》に行けないなんて困るわ……。私がもし、このまま過ごしていると、どうなるの？」

ウーンと、男は自分のつるんとした顎《あご》を撫《な》でた。

「環境条件によって変わりますが、通常は数日で限界に到達します。【魂】が肉体を保つには限度があるんです。限界に達した肉体は【崩壊】します。文字通り、崩れ落ちるんです。腐って」

「いやだ。怖いわ」

齋藤さんは怯《おび》えた様子だが、俺はいいじゃんと思っていた。

これって、ネタになるんじゃないのか？

テーブルに置いてあったスマホを手にして、メモ機能に入力していく。死んでも生活を続ける人間、死に気づかない、【魂】は強靭、限界を超えると身体は【崩壊】……うんうん、ベタっちゃベタだけど、使えそうな設定だ。なんか描けそうな気がする。よし詐欺師、もっとその設定を喋れ。

「信仰深い齋藤さんですから、きちんと神様のところに行きたいですよね？」

「ええ。【崩壊】なんていやよ」

「了解しました。大丈夫です。僕が責任を持ってお送りしましょう。その手続き自体は難しくありません。……ええと、齋藤さんはご主人を亡くされてて、お子さんもいない。そしてご兄弟も？」

「ええ。弟ももう亡くなってるの」

「その弟さんにも子供はなかった、と。つまり、齋藤さんに法定相続人は誰もいないことになります。でも、確か可愛がってらした姪御《めいご》さんがいましたよね？」

「あら。よく知ってるのね」

それは詐欺師だからだよ、騙す相手の情報をゲットしておくのは常套《じょうとう》手段じゃないか……そう思いつつも、俺は引き続きメモを取る。主人公が詐欺師って、どうなのかな。売れたマンガでそんなのあったよなあ。設定かぶってないといいんだけど。

「アコちゃんというのよ。亡くなった主人の弟の、娘ね。血縁はないんだけど、私に懐《なつ》いてくれてて……大学生くらいまではよく遊びに来てたわ。今は結婚して関西にいるんだけれど、時々、電話やメールをしてくれるの」

「では、アコちゃんにしましょうか」

「え？」

「生命保険金の受取人です」

いよいよ金の話になってきたぞ。このあと、どう持っていくかが詐欺師の腕の見せ所だ。しっかりやれ、色男。

「齋藤さんはすでに死んでいらっしゃるわけですけれど、死亡届が出てませんので、法的にはまだ生きてる扱いになります。ここでコーヒーも飲んでますしね。だから今のうちに保険をかけてしまうんです」

「アコちゃんを受取人にして？」

「はい。姪なら三親等なので可能です。そうすればアコちゃんに保険金を残せるし、彼女も安心して、葬儀の手配などしてくれるでしょう？」

「ええ、アコちゃんならきちんとしてくれると思うわ。手をわずらわせるのは申しわけないけど……幾ばくかでもあの子に残せるなら、頼んでもいいのかしらね」

「アコちゃんも、齋藤さんの役に立てるなら喜ぶと思いますよ」

調子のいい詐欺師が頷くのを、俺は横目でチラチラと観察した。

「となれば善は急げ、です。保険の契約手続きに入りましょう。手続きが簡単な無選択型保険がお勧めです。契約日と責任開始日は同じにして……と。保険料は割高ですが、まあ最初の一回しか払いませんから。ええと、すみません、ちょっと確認したいことがあるので、電話してきても構いませんか？」

キラキラ詐欺師がスマホを手にして立ち上がる。

その時、再び顔が見えた。うん……やっぱり目はフツーだ。こいつ、背も高いな……むかつくほど脚が長い。保険の営業……じゃなくて、詐欺師なんかより、モデルでもやってりゃいいじゃないか。詐欺師のほうが儲《もう》かるってことなのか？

密《ひそ》かに観察している俺には目もくれず、男はいったん店を出た。

外で電話をするのだろう。齋藤ばあちゃんに聞かれたくない悪い相談に決まっている。書類の偽造だとか……そもそも、保険の契約そのものが詐欺なら、書類なんてなんでもいいんだよな。なにからなにまで、作り事で構わない。奴の最終目的は、保険料の一部だけでも今日中に預かりたいとか言いくるめて、齋藤ばあちゃんに、現金を用意させることだ。齋藤ばあちゃんは、老後の貯金の一部を、あるいはほとんどすべてを、あのキラキラした詐欺師に巻き上げられるってわけだ。

俺はもう一度振り返った。

観葉植物越しに、齋藤ばあちゃんの細い首が見える。

丸い背中。煉瓦《れんが》色《いろ》のカーディガン。やっぱり、よくここに来ている常連だ。いつもひとりで来て、ひとりでゆっくりモーニングセットを食べて、静かに帰っていく、地味だけど小綺麗《こぎれい》なばあちゃんに違いない。

かといって、顔見知りとはいえない。

だから俺には関係ない。

単に、朝の短い時間を、たまたま同じ空間で過ごしているってだけだ。喋ったこともないし、向こうだって俺の顔なんか覚えちゃいないだろう。そうだよ、関係ないよ。これからあのばあちゃんが、詐欺師に搾取《さくしゅ》されることなんか、俺にはなんの関係もない。俺は孤独を愛する男なんだから、いっさい関係ないんだ。

ケホン、と小さな咳《せき》が聞こえる。

……でも、いいのか。

本当にそれでいいのか？　後悔しないのか、俺は。

何日後かに、新聞にこの詐欺のニュースが出ても……いや、新聞はとってないけど、ネットニュースで見ても、気にならないのか。いやな気分にならないのか。自分を責めないのか。俺はそこまで、ダメな奴になっちまったのか。

テーブルにスマホを置く。

意を決して立ち上がる。

急げ。時間があまりない。あの詐欺師が戻る前に伝えるんだ。

「あ……あのっ。い、今の話、ちょっと聞こえたんですけど」

俺が突然話しかけたものだから、齋藤ばあちゃんは少し驚いたようだった。いくらか慎重に「はい、なにか？」と聞いてくる。

俺はあんまり言葉がうまくない。所々つっかえながら、それでも必死に訴えた。きっとあの男は詐欺だと。保険なんか嘘《うそ》っぱちだと。

「あの、俺、齋藤さんの気持ち……ちょっとだけわかります」

俺は言った。

恥ずかしかったけど、言ったんだ。

「俺もいつもひとりで、ここでモーニング食ってます。家に帰ってもひとりです。俺は男だし、群れるのが嫌いなタイプだから、べつにそれでいいと思ってます。ひとりが好きだし、孤独が好きなんです。それが俺の生き方です。でも、そんな俺でも、たまには思ったりします、誰とも繫《つな》がりのない人生っていうのは……もしかしたら、いくらか、不自然なんだろうかって……」

俺の言葉に齋藤さんは少し悲しげな顔をした。

「そうね……さみしいわ。この歳になると、孤独を愛するなんて難しいのよ……」

「だとしても、その孤独につけ込まれちゃだめっすよ。あの男は絶対に変です。だって、あなたが死んでるわけがない。どう見たって、そんなはずないでしょ」

「ええ、私も変だとは思ってるんだけど……こんな年寄り相手に、熱心に話してくれる人なんか、滅多にいないの。だからつい、話しこんでしまって……少しくらいなら、騙されてもいいんじゃないかって……」

「よくないですよ、そんなの。騙されていいわけがない。あの……俺でよかったら、話相手になりますから。俺、人と喋るの基本苦手で……気の利《き》いたことも言えないけど……でも、齋藤さんが俺でいいなら、毎朝ここでお喋りすれば……」

「ありがとう。なんて嬉しいことを言ってくれるの」

齋藤さんは声を震わせ、右手の中指で目尻《めじり》の涙を拭《ぬぐ》った。それから立ったままでいる俺の顔をしばし見あげて、「不思議ね……」と呟く。

「私……あなたみたいな人を待っていた気がするの。今日初めて口を利くというのに、ずっと前から知っていたように思えるわ。もしかしたら……あなたは……彼の生まれ変わりなんじゃないかしら……」

「彼？」

「私の初恋の人」

ふふ、と恥ずかしそうに笑って、齋藤ばあちゃんは語る。

「……胸の病で、二十五歳で死んでしまった彼に……あなた、どこか似てるわ。顔かたちというより、雰囲気が。ちょっと神経質そうだけど、真面目《まじめ》な感じだとか……」

俺を通して、別の人を見つめる目。それがゆっくりと瞬《またた》き、次には「私、決めたわ」ときっぱり言った。

「え？」

「やっぱり保険に入ります。詐欺なんかじゃない、ちゃんとした保険にね」

「な、なんでそうなるんです？」

「お願いがあるの。あなたを死亡保障の受取人にさせて」

「は?!」

　思いも寄らぬ展開に、俺は二の句が継げない。

「赤の他人だと難しいのかしら……。弁護士さんに相談してみるわね。ああ、あなたはなにもする必要はないの。今までどおりの人生を送ってくれていいの。だって、あなたが生きているだけで、私は嬉しいんだもの。それだけで価値がある人なのよ、あなたは。ただ、私が死んだら、お金を受け取ってちょうだいね」

「いや、そんな……」

「それからね、これはここだけの話だけれど」

　齋藤ばあちゃんは俺の制止など気にせず、チョイチョイと手招きをした。俺は一度店の外を確認する。あの男はまだ電話中で、戻ってくる気配はない。

「実は私、多少の不動産も持っているのよ。ほとんど放置してあるんだけど……あなたさえよかったら、すぐにでももらってくれないかしら」

　内緒話のために身を屈《かが》めた俺に、とんでもない話をもちかけてくる。

「え……ちょっと待っ……」

「たいしたことはないの。世田谷区に二百平米くらいの土地と、マンションが数部屋。贈与税がかかってしまうけど、相談に乗ってくれる税理士さんも紹介しておくわね。あ、よかった、すっきりした。ずっと整理してしまいたかったのよ。これで心置きなく余生をすごせるわ。ありがとう、あなたに会えたおかげよ。あなたが勇気を持って、私に話しかけてくれたおかげ……！」

「いや、ホント待ってください、マジ困ります。そんなものハイハイって受け取れるわけないでしょう？　だいたい俺、金とか不動産とか興味ないし……」

「ええ、わかってる。目を見ればわかるわ。あなたは足《た》ることを知っている人……。必要以上を求めはしない人……。そんな人だから、私の財産を渡したいの。受け取ったあとは好きにしてくださいな。寄付してもいいし、一晩で派手に使ってしまってもいい」

「いやいやいや、急展開すぎでしょ。あり得ないでしょ」

慌《あわ》てふためく俺に、齋藤ばあちゃんはニッコリ笑う。

「運命の扉は、突然開かれるものよ」

それは、とても品格のある微笑《ほほえ》みだった。ありきたりなカーディガンを着たおばあちゃんなのに、まるでどこかの国の女王を思わせる。

「受け入れなさい、運命を」

厳かに、そう告げた。

「すべてのことには意味があるの。何気ない日常に、運命は潜んでいる。それを見逃してしまう人があまりにも多いけれど、あなたはそうではない。あなたは他の人とは違う。ずっと生きにくさを感じていたでしょう？　自分はなぜ周囲と馴染《なじ》めないのかと悩んでいたでしょう？　それこそが、あなたが特別である証拠……」

あなたが、選ばれた存在であることの証拠なのよ。

そう締めくくられた言葉に、俺は雷に打たれたように、覚《さと》った。

やっとわかった。理解した。

今日、この朝だったのだ。この瞬間こそが、ターニングポイントだったのだ。過去におきた、すべての苦しみと悲しみ、それは無為ではなかった。大切な試練であり、助走だった。この瞬間に繋がる道だった。

灰色の天を覆《おお》う雲の隙間から、光が差す。

きらめく光は、俺を貫くように、注ぐ。

さあ、これからだ。すべての歯車が噛《か》み合い、回りだし、壮大な物語がいよいよ始まる。俺の運命は大きく変わり、新しい扉の向こうには、輝くばかりの…………

ドスンッ。

「素敵な妄想の邪魔をして、悪いんだけど」

明るい声。

俺の目の前に座った男から発せられた、嘲笑《ちょうしょう》を含んだ、声。

現実に引き戻された俺は、阿呆《あほう》のように口を開けていた。

「齋藤さんはもう帰ったよ。必要な書類はすべて揃《そろ》って、印鑑もいただいたし、ひと月目の保険料も現金で受領済み。きみがそのだらしない口を半開きにして、ニヤニヤ妄想に耽《ふけ》っているあいだにね」

ギッ。

椅子《いす》が軋《きし》む。男が身を乗り出し、テーブルに両肘《りょうひじ》をついたからだ。

「ずっと僕たちを気にしてたでしょ？」

俺は俯《うつむ》き、答えなかった。

いや、混乱していて答えられなかった。

見ず知らずの人間がいきなり自分の前に座るということも異常事態だし、それよりなにより、俺が妄想していたのを言い当てられたのがショックだった。

そんなにボンヤリした顔を晒《さら》していたのだろうか。ニヤニヤしていたのだろうか。

それをこの、ピンストライプのスーツでキメた詐欺師に見られていたのだとしたら
……恥ずかしさで死ねるほどだ。

「すごいよねぇ」

男が言い、おれは訝《いぶか》った。なんで褒《ほ》められる？

おずおずと顔を上げると、男はテーブルに肘をついたまま、手を組んで俺を見つめ、微笑んでいた。改めて真正面から見ると、目を合わせにくいほどのイケメンだ。こんな色男、同じ人間だと思えない。なにか別の生物だ。相手もそう思ってるかもしれない。なんだ、この貧相でしょぼくれた男は、同じ人間なのかこれでも、って。

「きみはすごいよ、梶真琴《かじまこと》くん」

ぎくりとした。

「……なんで、俺の名前……」

「なんでもいいじゃない、そんなこと。実に些末《さまつ》なことだ。今はきみのすごさについて語ろうよ。僕と齋藤さんの話を盗み聞きしていたきみは、僕の言動を変だと思っていた。僕のことを、詐欺師かなにかだろうと思ったに違いない。その直後、僕は席を外した。時間はそれなりにあったはずなのに、きみはなんの行動も起こさなかった。齋藤さんに『おかしいですよ』って声をかけられたはずなのに、しなかった。簡単なことだ。席を立つ必要すらない。ちょっと首を捻《ひね》って声を掛ければいいだけ。なのに、きみは動かなかった。トラブルに巻き込まれたくないのなら、店のマスターに言ってもいい。あるいは、警察に連絡するという方法もある。少し頭を使えば、解決策は色々見つかる。

けれどそういった策のすべてを無視し、きみはその席にじっと座ったまま、妄想の世界に浸っていた」

立て板に水で語ると、男は最後にもう一度ニッと笑って、姿勢を戻した。

「まったくすごいことだよ、梶くん」

俺はなにも言い返せない。焦《あせ》りと混乱の中、頬《ほお》がヒクリと震える。そんな俺を薄笑いと侮蔑《ぶべつ》の混じった顔で見ながら、男は「マスター、コーヒーのおかわりちょうだい」と軽く右手を上げる。マスターがカウンターの中から、かしこまりました、と静かに返す。いつのまにか、店内の客は俺たちふたりだけになっていた。

「あ……」

俺はかろうじて声を出した。

「あんた、誰、だ」

その質問に、男はつくづく呆《あき》れたという顔でハァと溜息《ためいき》を零《こぼ》す。

「それもまた、どうでもいいことだよね。僕がどこの誰でもいいじゃないの。それがわかったからって、なんになるの？　問題はきみのその妄想癖……いや、逃避癖だよ」

「と、逃避なんかしてない」

「してるじゃない。逃避しまくってる。見た目は暗くて貧相で鈍くさそうな梶くんだけど、精神的な逃げ足だけはめちゃくちゃ早い。リニアモーターカーも真っ青の速度だ。

さっきだって結局、齋藤さんに声をかけるべきかどうかで迷った挙げ句、その懊悩《おうのう》から逃げ出したくて、妄想の世界にダイブしたんだから。まるでネガティブなアン・シャーリーだ。そんなこと言ったらアンに怒られるかな」

「あ、あんた人のことバカにしてんのか……？」

勇気を振り絞って口にすると、男は目を軽く見開いてパチパチとふたつ瞬《まばた》きをし、

「えっ。自分が利口だと思ってるの？」

と真顔で聞いてきた。

俺は言葉を失い、口をパクパクさせるしかない。コーヒーが届き、男は「ありがとう」とにこやかに受け取って、うまそうに一口啜《すす》った。ただコーヒーを飲んでいるだけなのに、嫌味《いやみ》なほど様になっている。

「まあ、唯一《ゆいいつ》の救いがあるとすれば」

シンプルな白いカップをソーサーに置いて、男はマイペースに語る。

「妄想へ逃避したとはいえ、きみにも一応、齋藤さんを助けようという気持ちがあったという点かな。結局助けていないのだから、役立たずではあるけどね。目の前の犯罪行為を軽やかに無視できる輩《やから》よりは、いくらかマシだと言える。役立たずだけど」

役立たずと二回も言われたが、俺はもう反論の気力もない。というか事実なので反論できない。奴の言う通り、俺はなんの役にも立たないし、立つつもりもない。

だって俺は孤独を愛する男だ。

他人となるべく関わらないのが俺の生き方だ。

「も……妄想のなにが悪いんだ」

「悪くはないよ、役立たずのアン・シャーリー」

「お、お、俺は誰にも迷惑はかけてない。あんたみたいに詐欺師とは違う」

「そろそろ誤解を解いておこうか。僕は詐欺師じゃない」

「嘘つけ」

高そうなスーツの襟についたホコリを払い、男は肩を竦《すく》める。

「さっき、齋藤さんが契約した生命保険もちゃんとした本物だよ。齋藤さんはあと半日ほどすると、老衰による遺体となって発見される。姪っ子ちゃんは問題なく死亡保障金を手に入れて、齋藤さんのお葬式を執《と》り行ってくれるだろうね」

「…………あんた、変だぞ……？」

「きみに言われるのは心外だなあ」

「遺体って……なに言ってんだよ。あのばあちゃんが死ぬとでも……」

「死ぬって言うか、もう死んでる」

なんでもないことのように言われ、俺は「いや、だからっ」とテーブルの端を摑《つか》む。

「死んでないだろ、どう見ても」

「いや。死んでたよ？」

「動いてたし、喋《しゃべ》ってただろっ」

「死んだら動かないし、喋らないんだよ！」

思わず声を張った俺に、男は「まあ、フッーはね」としれっと返す。フツーもクソもあるか。死んだら動かない。動きようがない。動いたら怖い。

「年間1万5603人」

唐突に男が口にした数字を、俺は「え？」と聞き返す。

「全国の65歳以上高齢者の孤立死数の推計。二〇一一年のデータだから、今はもっと増えているんじゃないかな」

「なんの話だよ」

「ちなみに孤立死というのは、一般にいう孤独死のことで、厚生労働省や自治体の多くではこの名称を採用してる。孤独死、は負のイメージが大きいという配慮だろうねえ。そこに配慮するなら、もっと配慮すべきところがたくさんある気もするけど……まあそれは置いといて」

またコーヒーを飲む。

俺のように背中を丸めて飲まないので、なんだかやたら優雅な雰囲気だ。

「孤独死にしろ孤立死にしろ、厳密な基準というのはまだない。さきほどの1万5603人は死後四日以上が経過したケースで、死後二日以上のケースならば2万6821人になる。そして65歳未満の孤独死も入れるならば、年間三万人と考えられる。つまり、一年に約三万人が独りで死んで行くわけだね」

「しょうがないだろ、超高齢化社会なんだから」

「四十代、五十代の孤立死も少なくないよ？」

「そんな知らねえよ。つか、俺には関係ない」

気弱な俺が言い返せたのは、今の状況に、あまりに現実味がないからだった。今している話にしろ、この男の存在にしろ、まるでマンガかラノベじゃないか。いっそ美少女キャラでも登場させてくれればいい。

「知らない、関係ない……うん、きみの得意な言葉だね。ついでに興味もないし、意味もないし、やる気もないし、仕事もない、覇気もないからモテない」

「…………」

「あはははは。怒った？」

楽しそうに笑い、しげしげと俺の顔を見る。観察するような視線がものすごく不愉快だ。ふざけるなと言い返したいところだが、この変な男を下手に刺激するのもためらわれる。こいつはおかしい。絶対におかしい。

「話を戻そうか。かくして、この国は孤独死が増えたわけ。ひとくちに孤独死といっても、亡くなり方はいろいろで、中には眠りながら穏やかな死を迎える幸運な人もいる。こういう中に、たまに気がつかない人がいるのね、自分が死んだことに」

「…………」

「で、朝、普通に起きてしまう。死んだのに。人はよく『意志の力』なんて言葉を使いたがるけど、本当にすごいのは『無意識の力』のほうなんだよ。習慣的行動はこの無意識の力が作用してる。もう死んでるのに、顔を洗って、歯を磨いて、いつものように過ごす。齋藤さんの場合は、毎朝の恒例での『ニルバーナ』を訪れた」

「…………」

「こういった、『死んでいる自覚がない方』を説得するのが、僕の仕事。保険については、ちょっとしたオマケというか、プレゼントみたいなものだよ。今日明日には間違いなく死ぬんだから、入っておけば得でしょ？　お葬式の費用も出るし。ただし、いい人にしかあげないけどね。齋藤さんはいいおばあちゃんだった。説得も楽だったし」

「…………」

「ああいう人ばかりなら、僕の仕事もしやすいんだけどねー。保険の営業はついでみたいなもので、本業はこっち。はい」

スーツの内ポケットから、洒落《しゃれ》た革の名刺入れが出てきた。

手慣れた様子でスラリと出された名刺には、当然ながら氏名が書いてある。テーブルに置かれた名刺を、俺は見つめた。

余見《よみ》透《とおる》。

まあ、名前はどうでもいい。

問題は肩書きのほうである。俺はぼそり、とそれを読んだ。

「死神…………………」

「うん」

満面の笑みで、色男が頷く。

「大きな声じゃ言えないけどね、僕、死神。ふふ」

もういやだ。

帰りたい。

帰っていいだろうか。

この男は頭がおかしいのだ。美形でスタイルも声もよく、金に困っているふしもないのに、頭のほうは残念な事態になっている。保険の営業だというのも、きっと本人の思い込みに違いない。

……そうか。

俺はやっと合点がいった。

　齋藤さんはすべて承知で、可哀想《かわいそう》な男につきあってあげていたのだ。話を合わせて、契約をしたそぶりをしていたんだ。それで辻褄《つじつま》が合うじゃないか。

「あ。まるっきり、信じてない顔してるし」

「……俺、そろそろ………」

「ま、人間なんてたいてい、自分が信じたいものしか信じないから、意外ではないけど。それにしても、きみは見たのに信じないんだねー。なかったことにされてるのかな。見間違い、思い込み、気のせい……人間の脳って、本当に都合よくできてる。感心しちゃうほどだよ」

　立ち上がり、去ろうとした俺のニットの裾《すそ》を男がむんずと掴む。黒い生地がびよんと伸びた。

「は、放せよ」

「でも、見られたほうとしては、放置ってわけにもいかない」

「放せってば」

　再度言ったが、男の手は俺のニットを強く掴んだままだ。安物だからって、そんなに延ばされちゃ困ると、思わず男の顔を見て……、
　俺は凍りついた。

　また、だ。

あの目が俺を見ていた。
黒々と虚《うつ》ろな眼窩。
真夜中の底なし沼のように絶望的な闇《やみ》。
見間違いだったはずの、人間のものではない目——その中心が小さくきらりと光る。
密かに仕込まれた針みたいに。
動けないでいる俺に、男はニタリと笑って言った。

「手伝ってもらうよ、死神のお仕事を」

2

「死神っていうと、大きな鎌《かま》持って、黒いローブ着て、中身は骸骨《がいこつ》で、その姿を見たら死んじゃう、っていうのが一般的でしょ？　でもねー、僕の知る限りそういうスタイルの死神は見たことないね。だってそんな恰好《かっこう》の人に話しかけられたら怖いよ。僕なら逃げる。すぐ逃げる。ま、今もたいがい逃げたい気分だけど。本当に汚い部屋だよねえ。卑屈でだらしがなくて臆病《おくびょう》な性格がよく現れてる」

狭い六畳間、本棚の前に立ち、男が言う。

呼んでもないのに押しかけられた俺は、ベッドの端に座ってげんなりとしたまま「悪かったな」と言い返した。

「それ、まったく悪いと思ってない人が、よく言う台詞《せりふ》」

「文句があるなら出てけよ。来てくれって頼んだわけじゃないんだから……」

「そういうわけにはいかない。手伝ってもらうからには、きちんと説明しておかないと。死神と、その仕事について。それにしたって、マンガしかない」

勝手に本棚を物色し、男が……余見が、呆れた声を出す。

なんでこうなってる？

今起きている事態がうまく把握できない。いっそこれも、俺の妄想だとしたら楽なのに……いや、俺の妄想に、こんな奇天烈《きてれつ》な男は出てこない。自分のことを死神だと言い張る頭のおかしい美形なんて、俺の考えつくキャラではない。

それにしたって、俺の部屋にこの男がいる光景はものすごい違和感だ。

本棚によりかかった余見は、一冊のマンガ本を取り出してパラパラ捲《めく》りながら「日本人て、本当にマンガ好きだよねー」と呟《つぶや》いた。

「あんたは日本人じゃないのか」

「死神に国籍なんかないよ。今回はたまたま日本に派遣されたから、外見も東洋的にカスタマイズしてみただけ。歴史や文化背景も一通りチェックしてきたけど、サブカルチャーまで手が回らなかった」

「その顔、あんまり日本人的じゃないぞ」

俺が指摘すると「あ、やっぱり？」と余見は頬に手を当てた。

「僕たちの外見は、派遣先の国に売ってる雑誌モデルのパーツを、適当にリミックスして作るんだけど、そしたらこうなっちゃったんだよ。あとから、日本の雑誌って外国人モデルが多いことに気がついた。もっと平面的な容貌《ようぼう》にすべきだったなー」

「……へえ。そういう設定なわけ」

「設定？」

「あんたの頭の中の、設定だよ。死神として、日本に派遣されたっていう設定……言っとくけど、俺は信じてないから。あんたが死神だとか、あのばーさんが死んでたとか。さっき、あんたの目がヘンになったのだって、絶対トリックがあるに決まってる。そんなものには、ひっかからないからな」

俺にしては勇気を持って強く主張したのだが、余見は「あらら。まだそんなこと言ってるんだ」とせせら笑った。相変わらず、マンガをパラパラし続けている。

「こんな、さしたる取り柄のない高校生男子が、気の強い幼馴染みと、超能力のある転校生と、もと自衛官で巨乳の年上美女教師の、三人からモテモテになったあげくに、謎《なぞ》の組織から学園を救うべくヒーローとなるマンガ…………は好んで読むくせに、自分の目で見たことは信じられないわけ？」

「……あんた、そのマンガ知ってんの？」

「知らない。たった今読んだだけ」

「パラパラしてただけじゃないか」

「死神は速読ができる」

なんだその設定。速読って、死神的に必要な素養なのだろうか。

余見は同じマンガの続きを手にして、またしてもパラパラやりながら「うわ、今度は日本を救う展開になってる」と驚いた。

「とにかくね。きみが信じようと信じまいと、現実に僕は死神なんだよ。そしてさっき言ったように、自分の死に気づかない人を導くのが死神の役割。そういう人たちを、我々はお客様として、『クライアント』と呼んでいる。『無自覚死体』と呼ぶのも、感じ悪いでしょ？」

「でも客じゃないだろ」

「コンビニでなにも買わなくても、お客様、って呼ばれるじゃない」

「……それはそうだけど……。一応、あんたの設定につきあって聞くけどさ……死神って、どこから来るわけ？　派遣してるのって、誰なんだ？」

「神！」

「……神さまが派遣してるのか？」

「いやいやいや、違うよ、五巻でますますすごい展開になってる、これ。自分が神だと名乗る男が出てきて、原子力潜水艦乗っ取ろうとしてる……！　しかも、そこに高校生の主人公が立ち向かおうとしてる。いくらなんでも無茶すぎない!?」

「いや、それ、マンガだから」

「破天荒にもほどがあるよ！」

「死神に言われてもな……」

「ちなみに、さっきの質問には答えられない。僕たちがどこから来たのか語ることはきつく禁じられてるから」

「言ったらどうなんの？」

「うわあ、とうとう米軍の原潜が東京湾に攻めてきちゃったよ……アン・シャーリー、これの続きは？」

七巻を棚に戻しながら余見に聞かれ、俺は「買ってない」と答えた。

「うっそ！」

余見は衝撃を受けた顔を見せた。文句を言いながらも続きが気になるらしい。

「嘘《うそ》じゃない。それから、俺はアン・シャーリーじゃない」

「そうだね。きみは可愛《かわい》い赤毛の女の子ではなく、貧相で目つきが悪くて眉《まゆ》がボサボサで、マンガばかり読んでいる上に、現在発売分をきちんと全巻揃えることもできない、ニートでスネップでオタクの役立たずだ」

……死神というのがもし本当にいるのならば、全員がこうも口が悪いのだろうか。俺は頬を引き攣《つ》らせながら「マンガがあるのは、仕事だからだ」と返す。

「仕事？　つまりマンガ家？」

「そ、そうだ」

「机と椅子すらない部屋に住んでるのに？」

「こたつでも描ける」

「ペンも紙もないのに？」

「………最近のマンガは、パソコンで……」

「パソコンはあるけど、ペンタブも液タブもない」

「………なんでそんなこと知ってんだよ」

「ここに書いてあった」

余見は『デジタルで描くマンガ　基礎の基礎』という本を指さして俺に見せる。こいつ、いつのまに……数秒で読んでしまうのだから、始末が悪い。

「……今は、その……アイデアを練っているっていうか、つまりプロットとかキャラとか……そ、そういうのが大事なんだ。ここでじっくり考えておかないと……」

「ふうん。で、きみの作品は？」

「た、単行本はまだ出てなくて……」

「では、作品が掲載された雑誌は？」

「………ない。けど……でも俺のマンガは新人賞を……」

ある雑誌の新人賞を、獲《と》ったんだ。努力賞で、掲載はされなかったけど。

担当編集者だっているんだ。もうしばらく連絡がないけど。

プロットを出すようにって言われてるんだ。……五年前に、だけど。

たまにはラクガキ程度のイラストをWEBに投稿してるし、六ページくらいの、やっぱり鉛筆書きの漫画だってアップしてる。俺は助走中のマンガ家なんだ。次の作品で、いよいよ本領を発揮するんだ。そのためには、じっくりとネタを探して、プロットを練って……。

「要するにきみは、一応夢らしきものはあるにしろ、『俺はまだ本気出してないだけ』と自分に向かって呟きつつ、怠惰《たいだ》ゆえに具体的な行動はなにひとつ起こさず、無駄な時間を費やし、現実のつらさに直面するたびに、劣化アン・シャーリーと化して妄想の世界にダイヴしているということだね？」

「…………」

俺は黙した。

事実は時に、悪口よりも深く胸を刺す。

「おっと、また脱線してしまった。きみのことなどどうでもいいんだよ。まあ無職でちょうどよかった。これから、僕の仕事を手伝ってもらうわけだし」

「……死神の手伝いってなにするんだ。人を殺すのか」

俺が聞くと、余見はシリーズの漫画本を巻数順に並べ直しながら「もー、やだなー」と眉根を寄せた。

「きみ、人の話聞いてた？　その耳、なに？　飾り？　まずい餃子《ギョーザ》？　耳の穴からラー油でも入れておこうか？　死神は誰も殺さないの。クライアントたちは、もう死んでるの。それを説得するの」

「……どうやって？」

「……あのさあ、たとえば保険の契約だってどうやったら取れるのかなんて、簡単に口で説明できるもんじゃないでしょ？　お客さんごとに考えて、工夫して、誠意を持って接して契約取るわけでしょ？　死神の仕事だって同じだよ。どうやって、なんて簡単な答があるわけないでしょ。そこを考えるのが大事なんでしょ？　それが仕事っていうものでしょ？」

　自称死神に説教されて、俺は俯く。以前、バイト先で似たようなことを言われたのを思い出したのだ。少しは自分で考えろ、と叱られ、次の日に辞めてしまった。考えろってなんだよ、指示を出すのがあんたの仕事だろ、と苦々しく思った。

「とにかく、なんらかの方法で説得して、署名をもらうのが死神の仕事」

「……署名？」

「書類にサインしてもらうんだよ。自然の摂理に従うという契約をしてもらう。それがすむと、クライアントたちはやっと本来の状態に戻れる。具体的に言えば、サインをしたあとで眠ると、今度こそ二度と目覚めない」

余見はそう語った。

「痛みも苦しみもなく、穏やかに、本来の死体に戻れる」

「……ふぅん」

「まだ設定とか思ってるね。もーやだな、ブサイクに生まれると心までひねくれるんだから……」

激しく余計なお世話である。ブサイクにブサイクって言ったハンサムは、死刑にしたらいい。

「ま、おいおい納得せざるをえなくなるだろうね。さて、そろそろ次のクライアントのところに行かなきゃ。梶くん、着替えて。きみもいい歳《とし》なんだからスーツくらい持ってるでしょ」

「なんで俺が」

「言ったじゃない。手伝ってもらうって。きみは本日から栄誉ある死神のアシスタントだ。そんな顔するもんじゃないよ。僕だって可愛い女の子のほうがずっといいんだけど、耐えがたきを耐えているんだ」

「……スーツなんか……葬式用のしか……」

「それしかないなら、それでいい。ただし黒いネクタイはやめてね。葬儀屋さんみたいで縁起悪いから」

葬儀屋より死神のほうが遥《はる》かに縁起が悪いと思うのだが、それは口にしないで、俺はごそごそと納戸《なんど》を探った。奥のほうから礼服を取り出すと、ナフタリンくさかったが、カビは生えていない。一緒にしまってあったワイシャツも、奇跡的にクリーニングずみだった。ネクタイは黒しかないので、締めないまま、スーツ一式を纏《まと》う。

「わお。まったく冴《さ》えないね」

偉そうに腕組みをしたまま、余見はいっそ感心したように言った。そんなことわかってる。男はスーツを着ると誰でもかっこよく見えるというのは、都市伝説だ。

「きみの周囲にだけ、じめっと暗いオーラが漂っているみたいだ。脇《わき》の下からキノコ生えてない？」

「生えてない」

「なんかそっちのほうが死神みたいだよねー」

「……小学生の時のあだ名が死神だった」

「子供って残酷だけど、正直だ。さて、行こう。早くしないとクライアントが【崩壊】しちゃう」

余見はくるりと踵《きびす》を返し、アパートから出る。

ここでドアを締めることだって、できた。俺は部屋の中に籠城《ろうじょう》し、余見だけを追い出してしまえば、このイッちゃってる男とサヨウナラできたのだ。

なのに、俺はそうしなかった。

一緒にアパートを出て、のそのそついていく。

余見の奇天烈な話を信じたわけではない。死神なんかいるはずがないじゃないか。それでも、やっぱりネタとしては興味深い。このおかしな男に数時間つきあって、マンガのネタが得られるなら、多少眠いのも我慢しよう。自分でネタを考えることに限界を感じていた。

四月締切の、大きなマンガ賞がある。

マンガ家のデビューは早いほうがいいとされている。若いうちのほうが流行にも敏感だし、感性も鋭いし、なにより体力と気力がある。マンガの技術もデジタル化が進んでいるとはいえ、まだまだ身体的にきつい仕事だ。俺も今年で三十、このあたりで本気を出し、結果も出すべきだろう。

そのためなら、多少頭のイッちゃってるこの男につきあうのもありだ。

駅に向かう。電車に乗るためだ。移動手段はごく一般的だった。死神なら空を飛ぶとか言い出すんじゃないかと思ったが、物理的に無理な主張はしないらしい。頭がおかしいなりに、考えているのかもしれない。

余見と並んで歩くのは、俺にとってある種の苦行だ。

奴《やつ》はスーツの上から、クラシカルなウールコートを着ている。

ロング丈で、色は黒。襟を立て、歩くと長い裾が靡《なび》く。やたらめったら姿勢がよく、ランウェイを闊歩《かっぽ》するモデルさながらだ。持っているのは金色のアタッシェケースで、これがまたキラキラ光る。どこで売ってんだ、こんなの。一方で俺はといえば、スーツ用のコートなんか持っているはずもないので、いつものフード付きジャケットだ。しっくりこないことこの上ない。たいして寒くないんだし、いっそ着てこなきゃよかった。

すれ違う女のたいていが、チラチラとこっちを見る。

モデル？　芸能人？　でもスーツだよ？　横にいるのは？　マネージャーじゃない？

そんな言葉も聞こえてくる。電車に乗ると事態は悪化した。俺たちをじろじろと見比べて、連れに「人生って残酷だよね」と囁《ささや》いている女もいた。うるさいな、おまえだってたいしたご面相じゃないだろうが。

「これからお会いするクライアントは、井上ツヤ子さん。二月七日の深夜十一時三十七分、就寝中に亡《な》くなったのち、翌朝六時に起床。いつもと同じように、テレビを見て、近所の整骨院で腰痛《ようつう》の治療をして、商店街で買い物をして、帰宅。死んでる自覚があるかどうかは、まだ不明」

余見はスマホを見ながら話した。データが入っているらしい。就寝中に亡くなって、翌朝起床という表現は、どう聞いても意味不明だが、そういう設定なのだからつきあうしかない。

「……自分が死んでる自覚のある人って、いるのか？」

「たまにいるよ」

「けど……自覚してないから、動き回っちゃうんだろ？」

「最初はそうなんだけど、しばらく経《た》つと察知する人がいるんだ。やっぱり違和感あるみたいで」

「あるのか、違和感」

「らしいよ。若い人ほど違和感が強い傾向があるけど、個人差も大きい」

「その違和感って、どんな感じなんだ？」

「さあ。僕は死んだことないから、わからない」

死神は死なない設定らしい。

そうだ、死神の諸設定について詳しく聞いておく必要がある。むろん、マンガを描くためだ。パクリだと言われないように、あとで多少の脚色を加えないとな。

「死神って、神さまなのか？」

まずは基本的なところをチェックしよう。

「字面《じづら》的にそう思いがちだけど、違う」

「じゃ、なに？」

「さあ？」

「わかんないのかよ。自分のことなのに」

少し責めるように言うと、電車のドアに寄りかかった余見は「自分のことが一番わからないのは、人間だって同じでしょ？」と言い返してきた。屁理屈《へりくつ》だ。

「なら、人間のことならわかるわけ？」

「もちろん。クライアントに関しては、ちゃんと勉強してるからね」

「なら聞くけど、人間って死んだらどうなんの？」

「腐る」

サラリ、と余見は言い切る。座席に腰掛けていたオッサンが、怪訝《けげん》な顔で俺たちを見ていた。死神だの、腐るだの喋《しゃべ》っているんだから無理もない。

「いや、身体《からだ》じゃなくて……意識っていうか……【魂】、だっけ？」

俺は声を低くして、聞いた。

「ああ、そっちね。それは言えないなあ」

「なんで」

「推理小説のオビに、犯人とトリックが書いてあったら買わないでしょ？」

はぐらかすような返事と同時に、電車が目的の駅に到着する。人々の視線を感じながら電車を降りて、俺はさらに疑問を重ねる。

「ああいう話、電車の中でしていいわけ？　その、死神だとか」

余見は無駄に華麗な仕草でPASMOを改札に翳《かざ》し「問題ないよ」と答える。

「都会人のスルー力はハンパないから。それに、たいてい話の内容より、僕の容姿に気を取られてる。とくに女性は」

「へえ……そう」

「ああ、僻《ひが》まないで」

「僻んでねーよ」

「んふふ」

口角をキュッと上げて、実に楽しそうに笑いやがる。顔は天使だが、性格は悪い。死神という設定なら、それでいいのかも知れないが。

駅を出て、住宅街方面に歩いた。

冬の風が強い。すれ違う人たちのマフラーが風になぶられている。

十五分くらい歩いただろうか。錆《さ》びついた遊具はあるが、子供が誰もいない小さな公園を抜けて、古びた団地に着く。昔は白かったはずの壁が、今は灰色がかって、なんとなく薄暗い雰囲気だ。

「こっちだね」

余見は地図アプリを活用してするすると歩き、五号棟に向かった。

一〇三号室のチャイムを押す。

表札の『井上』という文字は滲《にじ》んで薄くなっていた。書かれた紙もだいぶ黄色い。ここまで来たはいいが、俺はいったいなにをすればいいんだろう。死神のアシスタントと言われても、役割が想像できない。具体的な指示がないのは、自分で考えろ、ということなのだろうか。

チャイムに応答はなかった。

どうするのかなと思っていると、余見は「うん」とにっこり笑い、今度は続けざまにチャイムを鳴らす。ピンポンピンポンピンポンピンポンピンポンピンポン……リズミカルに動く指を、俺は呆気《あっけ》にとられて見ていた。

『なんなんだい、うるさいよ！』

ごもっともな怒りの声が、インターホンから聞こえてくる。

『言っとくが、あたしゃ新聞は読まないし、ヤクルトは嫌いだし、牛乳は腹を下すし、宗教には興味がないからね！』

年季の入ったインターホンの音は少し割れていた。余見が肩を竦《すく》めて「元気に死んでるなー」と笑う。

「こんにちはー、井上さん。新聞屋さんでもヤクルト屋さんでも牛乳屋さんでもありません。宗教も関係ありませんので、ここを開けていただけませんか？」

『じゃ、誰なんだい』

「死神です～」

こいつ、やっぱりバカだ。

そんな答でハイハイと玄関を開ける奴がいるかっていうんだ。むしろ一番怪しいだろうが。下手したら警察を呼ばれかねない。まあ、その展開でもネタとしては面白いからいいけど。

ところが。

『……ちょっと待ってな』

不機嫌声ではあるものの、返答はあったのだ。

「開けてくれるみたいだね」

「開けた途端に殴られるんじゃないか？」

「僕のきれいな顔を殴る女性なんかいないよ」

「あんた、保険屋よりホストとかやれば？」

「保険屋じゃなくて死神。あと、僕下戸《げこ》だからホストは無理」

また不思議な設定が出たな……と思っているうちに、スチール扉が開いた。サンダルをつっかけた小柄なばあちゃんが、俺たちをじろりと睨《にら》み上げる。そして、

「あんたが死神かい」

と、言い放った。

俺を見据えて、だ。………うん、まあ、まったく予測してなかったわけじゃないけど……でもやっぱり、嬉《うれ》しい気分にはならないな……。

「いや、俺じゃな……」

「僕です！　僕。僕が死神です。どうもはじめまして、井上さん。こっちはオマケというか、僕のアシスタントでして、けどまあ、夏場の台所にわいた小バエ程度の存在感ですので、気にしなくて結構ですから！」

「あんたが死神？」

無駄に溌剌《はつらつ》と明るい余見に、井上さんが視線を移す。

「はい」

「死神にしちゃ派手だね」

「意外なイメージをコンセプトにしています。お話をさせていただいても？」

にこにこと問う余見に、井上さんは「ふん。上がりな」と言った。

うそ。マジで？

こんな簡単に部屋に入れてくれるなんて、俺としては意外な展開だ。もしかして、このばあちゃんもグルで、俺を騙《だま》そうとしているだとか？　でもなんのために？　俺には金なんかないぞ？

「勝手に座んなさいよ。茶は出ないよ。客じゃないんだから」

「はい、お構いなく。お話をさせていただけるだけで、もう」

通された茶の間には、小さな座卓と座椅子がひとつあった。座卓の上には新聞とみかん数個とテレビのリモコンが置かれている。テレビはついておらず、テレビ台には年寄りの住まいにありがちな古ぼけた小物が並んでいた。なんでこけしがあんなにずらずら飾ってあるのか意味がわからない。こけしでドミノができそうだ。あ、赤べこって久しぶりに見たな……。

座卓を挟んで、俺と余見、そして井上さんが座る。

部屋に火の気はなかった。エアコンもオイルヒーターも稼働《かどう》している様子はない。老人ってのは寒さに強いものなのか？

「暖房が入ってませんね。ということは、ご自分でお気づきですか？」

「……やっぱり、そうなのかい」

「ええ。そうなんです」

パチン、と余見が指を鳴らして「死んでます」と告げた。

もう、やだ、こいつ。横で見ていた俺が謝りたくなるほどにチャラくて軽薄な死亡通告――いやいや、待て、それよりもっと驚くべきは……。

「え。あの、井上さん、自分が死んでるって思うんですか？」

思わず直球で聞いてしまった。

井上さんは苦虫を噛《か》みつぶしたような顔で俺を見て「あからさまに違和感があったからね」と答える。俺のことが嫌いなわけではなく、いつでもこういう不機嫌顔のばあちゃんらしい。余見にも同じような表情を向けるのだ。

それにしても、違和感ってなんだ？

「それって……たとえば、起きたらすごく気分が悪かったとか……？」

「いや」

「脈がおかしかったとか……？」

「いや。脈は普通だった」

「えっ。けど、脈が普通なら死んでないでしょう？」

ふう、と井上さんが溜息《ためいき》をついた。

そして改めて余見を見据え、「そのへんはどうなんだい、死神」と聞く。

余見が微笑《ほほえ》んだ。

作り物みたいにきれいな顔に、肚《はら》の見えない笑みを乗せている。

答える前に、姿勢を正し、座卓の上に名刺を置く。さっき俺も見た、ごく一般的な白い名刺だ。そういやあれ、『ニルバーナ』に置いてきちゃったな……まあ、べつにいいけど。

「余見と申します。名前で呼んでいただいても、『死神』でも」

「……死神に名前があるのかい」

「はい。便宜上」

井上さんはこたつの上にあった眼鏡をかけて、名刺を手にした。その時、不思議なことが起きた。不思議としか言いようのない……信じがたいことが起きたのだ。

名刺が、消えた。

井上さんの手の中に収まったかと思うと、瞬《またた》く間に灼《や》けるような赤に変わり、すぐに黒く焦《こ》げ、そのまま灰になった。さっきまで白い四角を形作っていた名刺は、井上さんの指のあいだからサラサラと零《こぼ》れて、畳を汚す前に、光って消える。

なに？

なに、その手品。

どっちがやったんだよ？　余見？　井上さん？

「口が開いてるよ、アン・シャーリー」

「……なんだい、そっちの不景気な顔の子はそんな名前なのかい」

「ちがっ、お、俺は、梶と……い、いまの、今のなんなんですかっ？」

さあねえ、と井上さんはパンパン、と手をはたいた。灰が少しだけ指についていたようだ。顔色を変えることもなく、

「これがつまり、アタシが死んでるってことなんじゃないのかい？」

と続ける。俺は隣の余見を見た。

「お察しの通りです、井上さん。死神の名刺は、死者が触れると今のように崩れ落ちます。生きている人間には、ただの紙ですけどね」

「やっぱりそうかい」

「先ほどの脈についてですが、死んでからでも『脈があるはずだ』と思って手首に触れれば、一時的に脈を感じ取ることができます。鼓動や呼吸についても同じです。生前できていた活動の一部は、死んでからでも可能なんです」

「ま、待てよ……死んでるのに、どうやって脈動かすんだよ……」

「ん？　そこは気合いだよ」

「気合いでなんとかなる問題かよっ！」

俺が叫ぶと、余見は「うるさいなあ、梶くんは」と顔をしかめた。

「気合いをバカにするもんじゃないよ？【気】は【魂】と連動してるから、死後もある程度は活動するの。脈くらい動かせる。ただし、長い間は無理だね。個人差があるけど、数十秒から、せいぜい二、三分……説明するより、体験が早いかな」

べらべらと喋る余見は、井上さんの細い腕を「失礼」と摑《つか》んで引き寄せた。それから俺の手もグイと持って来て「はい、脈取って」と井上さんの手首に触れさせる。

「え……えっ？」

「きみは井上さんの脈を取って、しばらくそのままでいる。井上さんと僕は、話を進めましょう。先ほど仰《おっしゃ》っていた違和感とは、どういうことですか？」

なんでこんなことに……と思いつつ、かといって井上さんの手首を放り出すわけにもいかないので、俺は言われるままに脈を取るしかない。井上さんの手首は枯れ枝みたいに細く、でもそのぶん動脈の位置はわかりやすかった。

「起きてすぐ思ったよ。ヘンだってね」

井上さんが語り始める。

トットットッ……。

そんなに強くないし、速くもないけど、脈打ってる。俺の指先に伝わっている。なんだか変な感じだ。孤独を愛する俺なので、他人の脈なんか取ったのは初めてだ。

これが血液の動きなのか。

生きている、証拠なのか……。

「つらくないんだよ。身体が……痛くなくてね」

え、と思った。

痛くない？　どこか痛くなったんじゃなくて？

「アタシは腰痛がひどくてね。特に朝は一番しんどい。膝《ひざ》も悪いし、耳鳴りもする。目眩《めまい》もだよ。布団《ふとん》から立ち上がるだけでひと苦労なんだ。なのにその朝から……」

「痛みがなくなった？」

余見の問いに、井上さんは頷《うなず》く。

「最初は嬉しかったさ。いろんな不具合がいっぺんに直ったんだと思った。けども、よくよく考えてみりゃおかしい。アタシはこれでもずっと看護婦をやってたから……そんな奇跡は起こらないって知ってる。だから自分のバイタルを取った。呼吸と脈はいいとして、体温と血圧が明らかに異常だった」

「感服します、井上さん。僕が今まで出会ったクライアントの中でも、あなたほど冷静な人は初めてです」

余見がいつになく真面目《まじめ》に言う。

「先ほど申し上げた通り、呼吸や脈は『生きているはず』という思い込みである程度ごまかせます。でも血圧までは難しいし、体温はもっとままならない。生命活動を停止したことで、井上さんの体温はグッと下がります。でないと、腐敗が速く進んでしまいますからね」

「とくに、内臓がねえ……」

「そうです。井上さんが死んでも、体内のバクテリアは生きてますから」

「かなり冷やしておかないとねえ……夏場だったら、えらいことだ」

「そのせいか、夏は冬より少ないんですよ。クライアント」

ふぅ、と井上さんが溜息をついた。

そしてしみじみと「死んだんだねえ、アタシは……」と呟く。ええっ、もう納得？　俺はいまだ冷たい手首に触れたまま、ふたりの会話に割って入る。

「ちょっと待ってくださいって。だからなんでそういう流れに……死んでないですよ？　井上さん死んでないし！　死んでる人、喋らないし！」

「うっわ、まだ言ってる。ホント現実を受け入れないねえ、きみは」

「それはこっちの台詞だっての！　いいか、古今東西、死体が動いたり喋ったりするなんてことは……」

食ってかかる俺に、余見は眉毛だけをヒョイと上げて「脈は？」と聞いた。

「え」

「脈、どうなってる？」

俺は視線を井上さんの手首に移した。神経を自分の親指に集中させ、少し前に感じ取ったテンポを探す。

トッ　トッ　トッ……リズミカルに伝わっていた、かすかな振動――。

ない。

脈が、ない。

指先を少しずらす。でもない。さらにずらす。ぜんぜんない。

愕然《がくぜん》としている俺の横で、余見が「井上さん、脈がなくなったみたいですよ」と言った。すると井上さんは「おや。そうかい？」と返し、少し腕に力を入れた。けれど、脈が再開することはなかった。俺は井上さんの逆の手首に触れたり、首の大動脈まで確認させてもらったけれど、どこにも脈動を見つけることはできなかった。

「なんだかねえ……死んでるなら、もういいだろうよ」

「い、いいって、なにがですっ」

「だから、脈。生きているふりするのもバカらしいじゃないのさ」

「生きているふり、って……そんな、そんなこと……う、嘘だ。あり得ない」

「ちょっとあんた、落ち着きなさい。そっちのほうが死人みたいな顔色だよ。やれやれ、しょうがない……」

よっこらしょ、と井上さんが立ち上がる。

小さなキッチンに移動して、どうやらお茶の支度をしてくれているようだ。俺はといえば、今まで井上さんに触れていた右手を凝視して、嘘だ、嘘だ、嘘だ、と小さく唱えていた。

「嘘じゃないってば」

座卓の上にあったみかんを手にして余見が言う。

「井上さんは死んでるの。なんなら血圧と体温も測ってもらおうか？」

「だって……今、お茶淹《い》れて……」

「そりゃお茶くらい淹れるよ、死んでたって。井上さーん、みかんいっこもらっていいですかー？」

台所から「酸《す》っぱいよ」と短い返事があり、余見は「問題ないです」と嬉しそうにみかんを剝《む》き出す。皮を剝いた後、丁寧に白いスジを取り始めた。いまだパニック中の俺がぼんやり眺めていると「あっ、べつに神経質とか、そういうんじゃないから！　ただみかんをツルツルにするのが好きなだけだから！」と的外れな言い訳をする。

本当なのか？　なにもかも、本当なのか？

みかんを剝くこの男は死神で、井上さんは死んでいて、齋藤さんも死んでいて、でもまだ動いていて、限界がくると【崩壊】するのか？

「ほら。これ飲んで落ち着きなさい」

俺は「す、すみません」と答え、井上さんが出してくれた湯飲みを手にする。だがなにしろ混乱凄《すさ》まじいので、お茶の味などよくわからない。

「さて、今後についてですが」

しつこくスジを取りながら、余見は井上さんに言う。

「このまま放置しておいた場合、井上さんの身体は限界を迎えると同時に【崩壊】してしまいます。衆人の中でそういった事態になりますと、社会はパニックに陥ってしまう。

それはゆゆしき問題ですから、私のような死神が訪問しているわけです。自然の摂理を乱さないため、すみやかなご協力をお願いいたします」

「自然の摂理、ねえ」

井上さんは、自分もズッとお茶を飲んで「薄い」とぼやいた。

「井上さんの場合、冷静かつ客観的な判断力により、すでにご自分が亡くなっている自覚があるわけなので、こちらとしても大変に助かります。あとは、この書類に署名してくだされればすべて解決です」

座卓の上に出された用紙を見て、井上さんは「白紙じゃないか」と言う。

「実はいろいろ書いてあるんですけど、人には読めないんですよ。大丈夫、闇金《やみきん》とかの書類じゃないですから」

「サインしたら、どう解決するんだい？」

問われた余見は、本当にツルツルになったみかんを俺に渡しながら「本来の状態に戻る、ということですね」と答えた。みかん、どうしろって言うんだ……。

「署名を終えますと、ほどなく眠くなります。そのまま眠りについていただければ、もう目覚めることはありません。痛みも苦しみもないことをお約束します」

「本当に死ぬってことかい」

「んー、もう『本当に死んでる』ので少し違いますけれど」

死神の説明は、あくまでにこやかだ。

「ご本人としてはそういう感じになるでしょうね。我々の言葉で語れば【魂】が解き放たれます」

「なんだか宗教めいてるねえ」

「じゃ、もう少し俗っぽく。死体に纏わりついていたエネルギーの残りカスが、死体から離れます」

「離れて、どこに行くんだい？」

「それはもう」

ぴっ、と人差し指を弾《はじ》くようにして、余見は天井を示した。この場合、天井ではなくて空という意味なのだろう。

「飛んでいきます。アレですよ。千の風になっちゃう。♪わたしの〜お墓の前でェ〜……ほら、梶くん、歌って」

「えっ……う、歌えねえよっ」

「マジ役立たず。とにかく、そういうことでして、井上さん。ではさっそくですが、こちらに署名を。このあたりに、楷書《かいしょ》でお願いします」

「しないよ」

座卓に出された白いA4用紙を前にして、井上さんはきっぱり言った。

余見は微笑んだ顔のまま「んん〜？」と首を傾《かし》げる。

「拒否なさる？　うーん。どうしてですか？　死ぬのは怖い？　でももう死んでますし、このままだともっと怖い展開になりますよ？　【崩壊】の時って、周囲も驚きますけど、本人もかなりキッツイらしいですから」

「キツイ思いをしても、仕方ないね。自分で選んだんだから」

「さすがもと看護婦さん。肝が据わってる。でもこれは困りました。井上さんの場合、特に時間がなくてですねえ……」

余見はスーツのポケットから、なにやら古めかしい懐中時計を出してパチンと開く。

それを眺めて「あー、ほんと、時間ないわー」とぼやいた。

「……梶くん、きみ、いつまでみかん持ってるの？　さっさと食べれば？」

懐中時計をしまった余見に言われ、俺は「へっ？」と変な声を立ててしまった。

「だって、これ、おまえが剥いて……」

「僕、死神だからモノ食べない」

「食べないのに、なんで剥くんだよっ」

「言ったじゃない。ツルツルにするのが好きだって。食べるのが好きなんて言ってないし。さあて、ではセカンド・フェーズに行きますか」

「セ、セカンド？」

「そう。第一段階《ファースト・フェーズ》は説明。第二段階《セカンド・フェーズ》は説得。ということで、梶くんに説得してもらおう。手伝ってもらうために、連れてきたんだから。その前に、それさっさと食べちゃえば？　ぬるくなるでしょ？」

なにがぬるくなるか。みかんである。

誰が誰を説得するのか。俺が井上さんを、である。

なにがどうしてそうなるんだかもわからないし、どうやったら井上さんを説得できるのかもわからない。となれば、今の俺にできることはみかんを食べることくらいだ。俺は混乱に陥ったまま、丸のままのみかんに食らいついた。小振りだったので、全部口の中に入ったが、そうするともう喋るような余裕はない。むぐむぐと必死に咀嚼《そしゃく》する俺を眺めて、余見は「頬袋に餌《えさ》を貯《た》めた、ブサイクなリスみたい」と評した。

「梶くん、それ、酸っぱい？」

俺は首を横に振る。

味なんかわかるか、この状況で。酸っぱくもなけりゃ、とりわけ甘いってこともない。みかんはみかんだ。

「ふうん。早く食べちゃってね。仕事あるんだから。えーと、話を進めておきましょう、井上さん。署名をしないというのは、つまりまだ死にたくない、と。いや、実際は死んでるんですけど」

「それはもうわかったよ。アタシは死んでる。でも、【崩壊】ギリギリまでこのままでいたいということさ」

「なるほど。僕の経験ですと、こういった場合、クライアントにいわゆる『やり残したこと』がある場合が多いです。まだ子供が小さい、あるいは老いた親の面倒を見ている、ペットが闘病中である、などなど。もしかしたら、井上さんも当てはまりますか？」

「……やり残したことはある。ただし、そんな美談じゃあないよ。むしろ逆だ」

もぎゅもぎゅもぎゅ、と俺が必死にみかんを嚙んで飲み込もうとしている横で、余見が両手をパンと叩《たた》き「あー、はいはい」と合点のいった顔を見せた。

「うらみつらみ系！」

「……身も蓋《ふた》もない言い方だけど、まあ、近いね」

「憎い相手、許せない相手がいるわけですね。そいつのせいで安らかに逝《い》けない、死んでも死にきれない。オーケーです、ノープロブレムです。よくあるケースなんですよ～。そういった場合は、こちらの『呪《のろ》い申請書』にご記入いただけますと、責任を持って私どもが……」

「極端な死神だね。べつに呪うこたぁないよ。ただこの世から消える前に、あの恩知らずに、一言いってやりたい。その程度の話さ」

ごくん。

俺はやっとみかんを飲み込んだ。その恩知らずというのは……。

「息子さん」

質問ではなく、言い切った余見を、井上さんが渋い顔で見る。それでも反論しないところを見ると、間違っているわけではないらしい。余見はスマートフォンを出して、スルスルと操作しながら話す。

「ええと、井上幸介《こうすけ》さん……四十七歳。ご結婚されて、埼玉県さいたま市にお住まい。精密機器メーカーの営業マン。奥様は知代実《ちよみ》さん四十五歳。娘さんがひとりいて、今は高校一年生」

「よく調べたもんだ」

「情報化社会ですからね。死神もこういうの必須《ひっす》です」

スマホを示して、ニッと笑った。白い歯が、歯磨き粉のＣＭみたいでぜんぜん死神っぽくない。

「息子は……幸介は、アタシが女手ひとつで育てた子でね。ギャンブル好きの父親とはあの子が三歳の時に別れて、その後一切会ってない。まあ、あんな男に引っかかったのはアタシの責任だよ。だから、幸介にはなるべく苦労をさせまいと働いてきた。優しい子に育ったと思ったんだが……変わっちまったね」

「恩知らずになった、と？」

「……考えてみれば、恩知らずって言葉は適当じゃない。べつにあの子に頼まれて、あの子を育てたわけでもないし。アタシが生みたいから生んだんだ。ただ……アタシとあの子は確かに親子で、家族だったのに……今はそうじゃなくなっちまった」

いったい、なにがあったんだろう……とぼんやり聞いていた俺の脇腹を、余見が結構な勢いでつついた。俺は「おゥふッ」と変な声を上げてしまう。

「なにボサッとしてんです。聞き取り《インタビュー》くらい、きみにもできるでしょ？」

「あ……え、えっと……その、井上さん、家族なんて、わりとそんなものかと……俺だってずっと親には会ってないし……」

おずおずと言った俺に、井上さんは「この数年で、急に変わったんだよ」と返す。その声からは、最初のような張りがなくなっていた。

「もう二年、一度も会ってない。以前は盆暮れには、遊びに来いって言ってくれてたのに……誘われないどころか、遠回しに来るな、とにおわせるようになってね。忙しいだとか、出張でいないだとか……。アタシは孫娘にも会えやしない」

「あの、電話とかは……」

「ときどきくるけど、生存確認程度の素っ気ないもんだ」

「けど……いろいろ忙しいなら、それはしょうがないんじゃ……」

「そんなこと言ってるあいだに、アタシはこうして死んじまったじゃないか」

井上さんは憤慨して言ったが、俺はいまだに、井上さんの死が呑《の》み込めない。確かに脈はなかったけど……でも、動いて喋ってる人を死んでると思うことはどうしてもできないのだ。そんなこと、俺の常識ではマンガかアニメかラノベの中でしか起きないし、起きちゃいかんだろう。ヘンだろう。おかしいだろう。本当に間違いなく死んでるなら、その証明を……ああ、でもさっき脈がなかったのか。けど脈がなくても動いてて喋ってて……。

くそう、だめだ。堂々巡りだ。こっちがおかしくなりそうだ。

「ひどい顔してるよ、あんた。大丈夫かい」

死んでる人に心配されてしまい、俺は「あんまり大丈夫じゃないです」と弱々しく答えた。隣で死神が小さく「使えねー」と呟《つぶや》く。ムカッときたのは、それが本当のことだからだろう。

「…………い、井上さんが、生きてるか死んでるかはともかく」

そのむかつきが、俺を喋らせる。

「ちっとも会ってくれない息子さんに、言いたいことがあるわけですよね？」

「そうだね。いくらなんでも冷たすぎるんじゃないかって、言ってやりたいよ。詫《わ》びのひとつでも聞けたら、清々《すがすが》しくこの世とおさらばできそうな気がする」

「なら、行きましょう」

言いながら、うわ、俺なに言ってんの⁉と自分に突っ込む。自分だって、親となんかぜんぜん連絡取ってないくせに。稀《まれ》にメールしたとしても、金の無心のくせに。だけど、一度出してしまった言葉は、もう戻しようがない。

「む、息子さんに……家族に、会いに行きましょう。すぐ行きましょう。ガツンと言ってやりましょうっ」

「あんた、一緒に行ってくれるのかい」

はあ？　なんで俺が？　俺にはなんの関係もないし……。

と、ものすごく言いたいのに、ノーと言えない俺は「もちろん」と答えてしまい、言ったと同時に怒濤《どとう》のごとく後悔する。勘弁しろよ、ヒッキーにとって、断るっていうのはめちゃハードル高いんだよ……。

ちらりと余見を窺《うかが》うと、にやにや笑ってやがる。

まったく、なんで、こんなことに。孤独を愛する俺なのに。

「梶くんも少しはアシスタントらしくなってきたね。まあ、現地に行くことは可能なんですが、井上さんの場合、残された時間があんまりないのでお勧めはしません。できれば、この場ですぐにサインをしていただいたほうが……」

余見はそう言ったが、俺は「本人が行きたいって言うんだから、行けばいいじゃないか」と主張した。たぶん、半ば意固地になっていた。

「限界がきたら【崩壊】するとかなんとか、あんたは言うんだろうけど……どうせもう死んでるんだから、そんなの気にするより、直接家族と会うのを優先すべきだろっ」

「えー、そうかなー」

とぼけた顔で首を傾げる余見に苛《いら》つきながら、俺は井上さんに「そうですよねっ！息子さんに会いたいですよねっ」と同意を求めた。普段の俺にはちょっと考えられない勢いだ。

「……会いたいね」

井上さんが静かに言う。

「時間がないなら……尚更《なおさら》直接会っておきたいよ」

力ない声に、余見は「まあ、ご本人がそれでいいなら」と頷いた。

「そのかわり、なにが起きても僕の責任ではありませんからね？　そこをご承知いただけるなら、埼玉までおつきあいしましょう。車の移動だと渋滞にはまるかもしれないので、電車が確実です」

「埼京線使って行くのか？　あのさー。死神だって言うなら、なんか便利な能力ないわけ？　どこでもドア的な」

俺が文句をたれると、余見は冷たい視線をよこしながら「きみはマンガの読みすぎ」と、小馬鹿《こばか》にするような声を出した。

かくして、さいたま市である。

よくある街の、よくある住宅地。似たような外観のちんまりした戸建てがずらりと並んでいる。同じ区画に、一斉に建てたのがすぐわかる。外壁の汚れ具合まで似ているからだ。おそらく、ここ十年以内にできた建売住宅だろう。

目的の一軒は、私道に入った奥から二番目にあった。

小洒落《こじゃれ》てはいるが量産感も否《いな》めないタイルの表札に、ＩＮＯＵＥとある。その家の前に、俺たち三人は立っていた。井上さんは薄っぺらな上着を羽織り、余見は手ぶらでコートの裾《すそ》を翻《ひるがえ》しつつ腕組みし、俺はなぜか余見の荷物であるアタッシェケースを持たされていた。しかもこれ、すんごい重いんだけど。

「はい、アシスタントくん、ピンポンしておいで」

余見が俺に言う。

「……え。なんで俺なんだよ」

「あれれ。さっきまでの勢いはどうしたわけ？　直接行くべきだッ、とか熱弁振るってたくせに」

　うるさいな……俺の勢いはそんな持続しないんだよ。ひきこもり舐《な》めんな。

「井上さんの息子んちなんだから、井上さんが行けばいいじゃないか……」

「突然井上さんが来たら、驚くでしょ」

「突然俺が来た方が驚くよ。ぜんぜん知らない奴なんだから」

「そんなことはない。ぜんぜん知らない人間が突然来ても、べつに驚かないもんだよ？　知ってる人が急に来る方が、びっくりするの。不思議だねえ、人間って。ほらほら、急いで。時間ないんだから」

　犬をシッシッと追い払うような仕草で、俺は急《せ》かされた。けど、俺がピンポンしてなにを言えっていうんだ。

「こんにちはー、死神のアシスタントでーす、おたくのおばーちゃんが亡くなりましてぇー、言い残したことがあるというので連れてきましたー、とでも言えばいいのか？」

「そう。そう言えばいい」

「絶対追い返される。でなきゃ通報される」

「警察が怖くて死神ができるものか」

「俺は死神じゃない」

俺と余見が実りのない言い合いをしているあいだに、井上さんは死んでいるとは思えない健脚ぶりでサカサカと進み、息子宅のドアホンをあっさり押した。ピンポンという音が、建物の内部から漏れ聞こえてくる。

暫《しばら》く待ったが、応答はない。

ピンポーン、ともう一度。でもやっぱりシーンである。

「留守だな」

ちょっとした安堵《あんど》を感じながら、俺は言った。

留守なら仕方ない。会えなくても仕方ない。さあ帰ろう、すぐ帰ろう、俺は自分のアパートに戻るから、あとは勝手にすればいい。そもそもこんなところまで、のこのこついてきたのが間違いだった。その点は反省している。だからもう帰して。ネタ探しも諦《あきら》めるから、平穏無事なひきこもりの世界に帰してくれ。

「いや。留守じゃない」

二階の窓を見ながら、余見が言った。

「カーテンの後ろで、誰か動いてた。少なくともひとりは在宅してる」

「でもピンポンしても出ないじゃん。ってことは、出たくないわけだろ。ならしょうがないじゃないか」

「井上さん、合鍵《あいかぎ》はお持ちじゃないんですか?」

「ないよ」

「うーん。なら、仕方ないなあ」

「そうそう仕方ない。だから、もう帰………おい、どこ行くんだあんた」

余見が家の横に回り、腰高の窓を開けようとしている。だが窓は鍵がかかっていて開かない。防犯意識のしっかりした家のようだ。

「開かないね」

「開いたとしても、そんなとこから入ったら犯罪だぞ」

「死神に人間の法は適用されませんよ。えっと、ここセコムとかアルソックとか入ってないですよね？　梶くん、ちょっと僕のアタッシェケース持って来て」

「なにするつもりだよ？」

嫌な予感を抱きつつ、一応奴にアタッシェケースを渡す。金色のアタッシェケースを受け取った余見は、俺に向かって「はい、小さい前ならえ」と言った。小学校の体育以来、久しぶりに聞く単語だが、身体は反射的に動く。

「そのまま手のひら上に」

「⁇……うわっ」

従った俺の腕の上に、のしっ、とアタッシェケースが置かれた。

要するに、俺の腕を荷物置きにしたのだ。バチン、とアタッシェケースの蓋が開き、俺は慌《あわ》てて顔を軽く仰《の》け反《ぞ》らせた。鼻が蓋にぶつかるところである。

　再び蓋が閉まった時、余見が中から取り出したものを見て、我が目を疑った。

「え？　ちょ……あんた、まさか」

「はい、ここで豆知識。網入りガラスは、火災で窓が割れた際、破片が飛び散るのを防止するためのものであり、防犯性は低いです〜。ワン、ツー、スリー」

　ガッチャン！

　嘘《うそ》だろ……バールで窓ガラス割りやがったよ、こいつ……。

　これには井上さんも驚いて、目を丸くしている。割ったのは内側に鍵のある付近で、そこから手を入れて鍵を開け、あとはカラカラと普通に窓を開けてしまった。これは犯罪だ。言い繕いようのない犯罪だ。余見は死神だけど俺はただの人間だから、刑罰に問われてしまう。

「井上さん、あとで息子さんに謝っておいてくださいねー。なにしろ時間がないもんですから」

「…………ガラス代はアタシが弁償しとくよ……」

「よろしくお願いします。さて、じゃ、ここから入って、梶くん」

「……お、俺は犯罪に荷担するのは……」

「さっさと入らないと、泥棒だーッて大声で叫ぶよ？」

「泥棒はあんただろ⁉」

「世間のジャッジはどうだろうね？　こんなハンサムな泥棒っている？　その点、きみの人相の悪さときたら、なんて犯罪者に相応《ふさわ》しいんだろう。ほら、早くしないと、ご近所さんに見られちゃうじゃない」

もうやだ。ほんと、やだ。帰りたい……。

つくづくそう思いながら、俺は腰高窓によじ登るしかなかった。この男は、本当に叫び出して、俺を泥棒扱いしかねない。俺はオタでニートのひきこもりだが、ここに前科が加わったらシャレにならないじゃないか。

どすん、と無様な恰好《かっこう》で、なんとか侵入を果たす。

俺が尻から落ちたのは、玄関から続く廊下だった。あとは玄関の鍵を開けて、余見と井上さんを中に入れないと……と、よたよた立ち上がりかけた時、目が合った。

高校生くらいの子が、廊下の奥で立ち尽くしていた。赤いフレームの眼鏡をかけた顔はものすごく驚いている。そりゃそうだろう。今にも叫び出しそうだが、たぶん驚きのあまり声が出ないのだ。

「ぎゃーーー！」

というわけで、叫んだのは俺である。

叫びながらアワアワと這《は》いずるように玄関まで行き、必死に鍵を開けた。余見と井上さんを中に入れることなど吹っ飛んでいて、自分が一刻も早くこの場から逃げたかったのだ。なのに、

「なに。なんなの、きみ。うるさいし、邪魔」

「うっ」

膝立ちだった俺を、あろうことか靴を履いたままで軽く蹴《け》り、余見が玄関に入ってくる。俺は三和土《たたき》で再び尻餅《しりもち》をついて「み、み、見つかったっ」と声を上擦《うわず》らせた。

「そりゃあ、ガラス割ったんだから、音で気がつくでしょうよ。井上さんもどうぞ」

余見に続いて入ってきた井上さんを見つけると、今まで呆気にとられていた少女は初めて「おばあちゃん？」と声を出した。

「友菜《ゆうな》……」

「ああ、友菜ちゃんというんですね。どうもこんにちは、初めまして、余見といいます。えーと、おばあちゃんの茶飲み友達です。アハハー」

綺麗《きれい》な顔で、実に空々しく笑う。どこからどう見ても、茶飲み友達には見えないわけで、当然のことながら孫娘は思い切り怪しむ顔をしている。

「おばあちゃん、なんなの、この人たち」

「ちょっとした知り合いだよ。お母さんはいないのかい？」

「お母さんは……仕事……」

「働きに出てるのかい？　そりゃ初耳だ。……あれ、おまえ、学校はどうしたね。……ああ、今日は土曜だから、午前中だけだったんだね」

井上さんは自問自答で納得していたが、友菜ちゃんの表情が強《こわ》ばったのを、俺は見逃さなかった。

「う、うん。ちょっと前に帰ってきた……」

水色のトレーナーと、下はグレーのスウェット。全体的にくたびれて、肘《ひじ》や膝の生地は伸び気味。セミロングの髪は、かなり年季の入ったシュシュで後ろで無造作に括《くく》っている。ついでに言うと、眼鏡のレンズには指紋がちょっとついている。

これは……つまり、アレだ。

この子、学校に行ってない。

今日だけの話じゃなくて、たぶんしばらく行ってない。俺にはわかる。なんでと聞かれるとうまく説明できないが……全体的な雰囲気というか。オーラが澱《よど》んじゃってるというか。たぶん、俺も似たような立場だからわかるのだろう。

きっと、彼女も孤独を愛する者だ。

ひとりが好きというより、ひとりじゃないとつらい。集団の中にいると、心がどんどん削られていく。自分の価値がわからなくなって、信じられなくなって、笑えなくなる。

自分が異質に思えて、周囲もきっとそう思っていて、だから排斥される。否定され、嘲笑《ちょうしょう》される。

しかも高校生なんて、一番多感な頃だ。彼女はつらい思いをしているに違いない。ならば大人である俺たちが気を遣《つか》い、配慮してあげないと……。

「あー、友菜ちゃん、不登校オーラ出てるなー」

ズバッ。

と、言いやがった。もちろん余見である。

「不登校？」

「学校に行っていないということです、井上さん」

「それくらいは知ってるよ。友菜、そうなのかい。学校に行ってないのかい」

孫娘に近づき、心配顔で井上さんは尋ねる。責めるような口調ではなかったが、それでも友菜ちゃんは顔を歪《ゆが》めた。そこへ、余見が追い打ちを掛けるように「きっとあれですよ。イジメですよ」と配慮皆無で言い放つ。

「最近のイジメって面倒くさいみたいですよねー。ほら、LINEとか。ちょっと既読スルーしたら、翌日から仲間はずれ？『友菜、KSとかむかつく。あの子って感じ悪いし、空気読まないとこあるし～』って？ちゃんと話して誤解を解きたいんだけど、もうブロックされちゃったり？グループから強制退会させられたり？」

空気読まないのはおまえだよ……。

友菜ちゃんは泣きそうな顔で踵《きびす》を返し、逃げるように二階へと上がっていった。たぶん、上に自分の部屋があるのだ。井上さんが慌てて追いかけていく。バタバタと、ふたりぶんの足音が響いた。

「アシスタント、僕たちも行くよ。あと、いいかげん靴脱いだら？　人様の家に土足って失礼じゃない」

「……人様の家のガラス割った奴《やつ》に言われたくない」

「あれは緊急避難措置ってやつ。あらら、いよいよ時間がないぞ」

余見が懐中時計を見ながら言う。

二階の廊下では、井上さんがドアの前でしきりに孫娘を呼んでいた。友菜ちゃんは部屋の内側から鍵を掛けてしまったらしい。

「友菜、ここを開けなさい」

「いやっ。お祖母《ばあ》ちゃん、もう帰って……！」

「開けなさい。いったいなにがあったのか、お祖母ちゃんに話を聞かせておくれよ」

「話すことなんか、なんにもないってば！」

ヒステリックな声で、友菜ちゃんは返す。これは望み薄だな……と俺が思っていると、余見が井上さんに近づき「ちょっといいですか？」とドアの前から退《ど》かした。

そしてコンコンコンッと忙《せわ》しないノックを三回する。

「友菜ちゃーん。ねーねー、開けて開けてー」

「開けないッ！」

そりゃそうだろうな。

俺だって、自分が追い詰められてる時に、あんなへらへらした声で開けろと言われても応じない。余見の色男パワーも、あの年頃の女の子にはあまり効果がないようだ。

「開けないと蹴破っちゃいますよ～？　だから開けて～」

「開けないってば！」

「そう？　それじゃ」

余見が肩を竦《すく》めて、二歩後退した。

その直後に俺が見たのは……まるでカンフー映画のワンシーンだ。

左足を軸にして、低い重心から斜め上に繰り出された、鋭い蹴り。

そしてバキャッというドアに穴の空く音。

井上さんの「ひぃっ」という小さな叫び。無茶な方法で開いたドアの向こう、もはや言葉もない友菜ちゃんの顔……なんかもう、余見が「アチョー！」って言わなかったのが不思議なくらいである。

「どうしたの、びっくりした顔して。僕、ちゃんと言ったよね、蹴破るって」

「な……なん……お祖母ちゃん……っ」

怖くなったのだろう、友菜ちゃんが井上さんを呼ぶ。

井上さんは部屋の中に入り、ベッドに座っていた孫娘を守るようにして抱え「ちょっと乱暴すぎるよ」と余見に文句を言った。ちょっと、じゃないと思う。

「申しわけないです。なにしろタイムアップ間近で……さ、井上さん、言いたかったことを友菜ちゃんに思いきりぶつけてください」

「あのねえ、アタシは息子に言いたかったんだ。孫は関係ない」

「でも今、息子さんいませんし」

「帰るまで待つよ」

「時間がなぁ……」

渋る余見を無視して、井上さんは優しく友菜ちゃんの背中を摩《さす》る。少し落ち着いたのか、友菜ちゃんが「お祖母ちゃん」と口を開いた。

「……お父さん、たぶんあと一時間くらいで帰ってくる……」

「そうかい。土曜なのに会社なんだねえ」

「会社っていうか……。ねえ、お祖母ちゃんの体、すごく冷たいよ……大丈夫、寒くない？　これ、着て」

井上さんは死んでいるらしいので、体温がとても低いのだ。

友菜ちゃんはベッドのヘッドボードにかかっていたフリースジャケットを取り、井上さんに着せかける。この子は優しい子なんだなと思いながら、俺はふと、自分の祖母の顔を思い浮かべた。本当に急に浮かんできたんだ。もう長いこと、思い出したりしなかったのに……。

「ありがとう、友菜。それで、お母さんはなんの仕事に行ってるんだい？　近所でパートでも？」

「……ううん。看護師……今日は夜勤だから……帰ってこない」

「また看護師に？　おまえが生まれてからは、ずっと主婦に専念してたのにねぇ」

友菜ちゃんは俯《うつむ》いてしまった。皺《しわ》だらけの祖母の手を握りしめ「しょうがないんだよ」と力なく言う。

「うち、お金がないんだ……お父さん、リストラされちゃったから……」

「……え？」

驚く井上さんに、友菜ちゃんは「もう二年前だよ」と悔しげに話す。

「仕事を頑張りすぎて、ウツみたいになっちゃって……とうとう会社に行けなくなって、そのまま辞めさせられたの。しょうがないからお母さんが仕事始めて、お父さんが家のことするようになって……あたしはなんだかそれが恥ずかしくて、お父さんに文句言っちゃって……本当はそんなふうに言う自分が一番恥ずかしいってわかってるの。でも、友達を家に呼べなかったりすると、ついイライラして……結局、友達にもバレて、『友菜んちのお父さんリストラされてるし』とか、面白半分でLINEで回されて、それがどうしても許せなくて……！」

「友菜、落ち着きなさい。大丈夫だよ」

井上さんは優しく言い聞かせる。

「おまえ、友達とケンカしちまったのかい？」

「ケンカにもならないよ……あたしが怒ったら、逆にシカトされるようになって……」

「仲間はずれに？　なんてことだい、向こうが悪いっていうのに……」

「もう、いいんだ。前から……あたし、クラスでちょっと浮いてたから……でも、必死にみんなと合わせてたんだけど……なんかそういうの、疲れちゃったんだ……」

その気持ちは、俺にも少しわかる。

頑張れる時もあるんだ。みんなの中に自分を埋没させて、自分の気持ちはとりあえずどっかに追いやって、周囲に合わせて、それこそ呼吸のテンポまでみんなに合わせて。

でも、長くは続かない。

ある時ふと、自分がどれだけ疲労困憊《こんぱい》しているのかに気がつく。くたくたになっていることに気がつく。気がついたらもう、部屋から出たくなくなる。

まわりの大人は言うんだよ。

そんな狭い世界で苦しんでないで、もっと広い視野を持てとか、言うんだ。そんな場所にいるからいけない、立ち止まってるからいけない、膝を抱えて俯いて、座り込んでいるからいけない。だからおまえにはなにも見えないんだって。

でも、狭い世界ですら生きているのが苦しいのに、もっと広い世界に出られるはずがないんだ。井戸の中のカエルは、海に出たら死ぬじゃないか。溺《おぼ》れるに決まっているじゃないか。その時に誰が助けてくれるっていうんだよ。

俺はずっと、そんなふうに感じてきた。

中学生の頃、高校生の頃……もしかしたら、今も。

「それで、お父さん、今はどうしてるんだい」

友菜ちゃんの手を握ったまま、井上さんが聞く。

「ウツはだいぶよくなって……今はリハビリも兼ねてアルバイトを始めたの。今日はそのバイトの日だから、もうちょっとしたら帰ってくる」

「参ったね……そんなことになってるなんて、ぜんぜん知らなかったよ……」

「あたし、お祖母ちゃんに会いたかった……。でも、ウチのこと話したら、お祖母ちゃん心配するからだめだって、お父さんが」

「……それで……ろくに顔も見せなかったんだね……そうだよ、あの子はそういう子だ。優しい子なんだ……」

井上さんの目が充血し、今度は友菜ちゃんが井上さんの瘦《や》せた背中を撫《な》でる。

つまり、井上さんは家族に疎《うと》まれていたわけではなかったのだ。

ん？

ということは……この案件は解決したんじゃないのか？

井上さんは、もうなんの恨みもなくこの世とおさらばできるんじゃないのか？　あくまで、井上さんが死んでるというのが本当なら、という話だけど。

俺は余見を見た。

余見はまた懐中時計を見ていた。整った眉毛《まゆげ》が軽く寄せられ「あー、もう、マジやばい」と呟《つぶや》く。死神の語彙《ごい》はわりとカジュアルだ。

「井上さーん。そろそろタイムリミットです。言うべきこと言っちゃってください」

「もう言うことなんかないよ……。アタシは誤解してた。息子に捨てられたわけじゃなかった……あの子を疑うなんて、自分が恥ずかしいよ……」

孫娘をしっかりと抱いて、井上さんは言った。友菜ちゃんは「お祖母ちゃん、本当に冷たい……」と戸惑いつつも、懸命に祖母の背をさすって温めようとしている。

「べつに恨みつらみじゃなくてもいいんですよ。最後に伝えておいたほうがいいこと、ないですか？」

余見の言葉に、井上さんはなにか思い出した顔を見せる。

「友菜、いいかい。よく聞くんだよ」

　孫から少し身体《からだ》を離し、その手をギュッと握って話す。

「お祖母ちゃんのアパートの茶簞笥《ちゃだんす》に、引き出しがある。その三番めに預金通帳や保険証書が入っているからね。印鑑は台所の米びつの中。預金はたいした額じゃないけれど、生命保険で五百万出るはずだ」

「な、なに言ってるの、お祖母ちゃん……？」

　戸惑う友菜ちゃんに、井上さんは早口で続ける。

「お父さんに伝えておくれ。自慢の息子だ、誇りに思っているって。でも、苦しいと時は休みなさい、それも大切だからって。それからお母さんに、苦労をかけるけどよろしく頼みますって。あと、友菜、おまえは、おまえはね……」

「お祖母ちゃん？」

　ぐらり、と井上さんの身体が前方に傾いだ。

　友菜ちゃんが咄嗟《とっさ》に井上さんを支えたが、身体に力が入らない様子だ。まだなんとか目は開いていて、口が微《かす》かに動く。

「おまえは……いい子、なん、だ……から……」

　掠《かす》れた声が、かろうじて聞き取れた。

　そして。

【崩壊】が訪れる。

SFXとか。特撮とか。CGとか。

ほら、映画なんかで、よくあるアレ。吸血鬼が日の光を浴びちゃったシーンとか。悪《あく》霊《りょう》が神様のパワーで砕け散る時とか。そういうの、あるだろ。もっと具体的に説明するなら、肉体から水分がシュウシュウ抜けていって、シワシワのカサカサになって、骨に皮がべったり貼《は》りついて、いよいよ骨だけになって、骨すらもスカスカになっていって、全体的に褐色の骨格になったなと思ったら、ボロボロッと崩れて細かな灰になって……折しも吹いてきた一陣の風に散らされ、跡形もなく消えていく……。

と、いう【崩壊】を想像していたんだ、俺は。

いわばドライ系。

乾いた感じで【崩壊】する人体。

そうやって【崩壊】するんだろうと思い込んでいた。勝手に。

しかし現実は違った。

俺は叫べなかった。目をそらすこともできなかった。それは友菜ちゃんも同じで、たぶん彼女は俺の百倍ショックだったと思う。予備知識ゼロのまま、自分の両腕の中にいる祖母が、いきなり【崩壊】したのだ。

しかも、瞬《また》く間に灰になって消えたのではない。

【崩壊】は、ウェット系だった。

そうだよ……余見は言ってたじゃないか。腐《くさ》る、と。

腐る。腐敗。

微生物が有機物を分解すること。

赤紫の死斑《しはん》が現れる。体内で自己融解が進む。自分の胃液で、胃を溶かす状態だ。腐敗ガスが溜《た》まり、遺体はいっとき膨れあがる。皮膚は変色し、体液があらゆる体腔《たいくう》から流出し、壮絶なにおいを放つ——今まさに、井上さんにそういう変化が訪れている。

ものすごいにおいだ。

あまりにすごくて、表現しようがない。目が痛くなるほどの刺激臭。地獄って、こんなにおいなんじゃないのか。溶けるのは内臓だけではない。血液も腐敗溶血する。皮膚もいつまでも形を保ってはいられない。グズグズと溶け、崩れる。

友菜ちゃんの両腕を、膝を、腹部を……液状化した井上さんが流れていく。

俺は吐いた。

その場で胃液をぶちまけた。とても耐えきれなかった。

井上さんの【崩壊】はものすごい速さで進んだ。悪臭を放っていた、もと肉やもと内臓の液体が、今度は蒸発するように消えていく。そのスピードは、ある意味救いだったかもしれない。いつまでもあのドロドロが続くよりはいいように思えた。

やがて井上さんは標本みたいな骨格だけになり、それでも絶句したまま固まっている友菜ちゃんの腕に留まっていた。

吐くものもなくなって、自分の口を拭《ぬぐ》いながら、俺は気がつく。

友菜ちゃんは、井上さんを抱えた状態のまま、白目を剥いて気を失っていた。道理で、叫び声のひとつも出ないはずだ。もし俺が友菜ちゃんの立場だったら、心臓も止まってたかもしれない。

……いや、彼女の心臓、ほんとに止まってないか？　なんだか心配になってくる。

「だから時間ないって言ったのにな〜」

ホラー映画も真っ青のこの場に相応しくない、のほほんとした声が言った。すたすたと友菜ちゃんのところへ歩み寄り、身を屈《かが》めて友菜ちゃんを覗《のぞ》き込む。そして頸動脈《けいどうみゃく》に軽く触れ「はいはい。生きてる生きてる」とおざなりに言い、トン、と友菜ちゃんの肩を小突いた。友菜ちゃんは仰向《あおむ》けの状態でベッドに倒れ、支えを失った白骨は、肝心要《かなめ》のパーツを抜いた模型みたいに、ガラガラと崩れた。

その音は、もはやドライだった。

生物と書いて、ナマモノとも読む。井上さんからは生々しさが消え失《う》せて、ドライな骨となり、床に散らばっていた。

余見が骨を見下ろす。

右手の手のひらを下に向けて翳《かざ》した。

すると、その手から特殊な光線でも出ているかのように、骨は瞬く間に細かく粉砕され、わずか数秒で白い砂になる。

余見の左手が指揮者のようにふわりと上がる。

指先がツイッと見えない埃《ほこり》を払うような動きをし、窓が勝手に開いた。意思を持ったかのような風が起こり、骨だった砂を……もと井上さんだった砂を、屋外に運び去る。

余見のウェーブのある髪が乱れ、コートの裾がはためく。

なにもかもが、あっというまの出来事だった。

もはやなんの痕跡《こんせき》もない。井上さんはいない。

……さあ、どうする俺。

この数分間に見たものを、どう認識する？

余見の手の込んだ仕込みなのか？　だとしたらハリウッド並みの技術力だ。あるいは井上さんの存在自体が、俺の幻覚だったとか？　だってもう、さっきの地獄のような腐臭すら、なくなっているじゃないか。

だが、しかし。

「くっさいなー」

余見が鼻から下を覆《おお》い、眉間《みけん》に皺を刻む。

「そこ、掃除しときなよ？　女子高校生の部屋でゲロ吐くとか最低〜」

そうなのだ。俺のゲロは、いまだそこにあって酸《す》っぱいにおいを放っている。これはつまり、今までの出来事が現実だという証拠に他ならない。

「……あんた、マジで死神なのか？」

「ええ〜。ここまで見せても疑われると、僕としてもどうしたらいいのかわかんないよ……あれなの？　やっぱ形から入らないとだめ？　途中にあったイオンモールで大鎌《おおがま》売ってるかな」

「い、いや、いい……。そうか……あんたは……死神か。そうなのか……」

ブツブツ言いながら、友菜ちゃんの部屋にあったティッシュで床を掃除する。こうなってくると、否定し続けるほうが難しい。

死神はいるのだ。

本当にいるのだ。事実は小説より奇なりってやつだ。でなきゃ俺の頭がおかしくなってしまったことになる。ここまでリアルで詳細な幻覚となると、かなり病状は深刻なわけで、そんなのはごめんだ。どっちか取れと言われたら、俺は死神を取る。

俺が吐いたのはほとんど胃液だけだった。そういえば、今朝からろくに食べていない。もうすぐ夕方になるが、空腹は感じなかった。人間、精神的な余裕がないと腹が減るどころではないらしい。

「ゆ、友菜ちゃん、どうするんだ……？」

床を拭《ふ》き終わり、ベッドに倒れている友菜ちゃんを見て聞くと、余見は「どうって？」と聞き返す。

「この子、見たんだぞ、井上さんが腐ってくのを……。誰かに話したら……」

「話さないよ」

「そんなのわかんないだろ」

「話したところで、誰が信じるの？　笑われるか、でなきゃ精神科に連れて行かれるかだろうねえ。そもそも、本人が目を覚ましたら、全部夢だったと思いこむはず。【崩壊】を見ちゃった人間は、だいたいそうだよ」

「だ……だけど、実際に井上さんは死んじゃったわけで……」

「でも死体はない」

いかがでしたか、と観客に問う手品師のように、両手を開いて余見は言う。

「ここが【契約】と【崩壊】の違うところだ。井上さんが僕の説得に応じてくれて、さっさと契約書にサインをくれていたら、死体はちゃんと残ったのに。まあ、本人が行きたいっていうからつきあったけど、実に時間の無駄だったね」

「無駄……じゃないだろ。息子はいなかったけど、孫には会えたし……誤解も解けたじゃないか」

「はいはい。母親を避けていたわけじゃなくて、心配かけたくなかったっていう、親を思う子供の心ね～。ちょっとイイ話的な？　っていうかさー、ちゃんと話したらよかったんじゃないの？　リストラだのウツだのイジメだの、今時珍しくもないんだし」

「そんな簡単に言えたら苦労しない」

俺だって、いつもそうだ。言いたいことが千あったら、そのうちの三くらいしか言えてない。

「なんで言えないわけ？」

「……人間っていうのは、そういうもんなんだよ」

「そういうもん、ねえ」

開けた窓を、今度は普通に手で締めて余見は薄ら笑いを浮かべた。

「今、質問してみたけど、本当は僕知ってるんだよね。なぜ言えないのか、その理由。ほとんどの人間はね、『言いたいこと』しか言わないんだよ。『言うべきこと』じゃなくて『言いたいこと』ね。あるいは『言っても言わなくても、どうでもいいこと』……そういうことばっかり言う。べらべらとくっちゃべる。ま、そういう人は嫌われないよね。害がないし。だって『言うべきこと』って、だいたい耳の痛いことだから」

言いたいこと。

言うべきこと。

そんなの、考えたこともなかった。

「……友菜ちゃんは……井上さんが言ってた預金や保険についての伝言も、忘れちゃうのか？　井上さん、それを家族に使ってほしくて、最後にあんなに一生懸命……」

「忘れるか、悪夢の一部だと思うか、どっちかだろうね。なんにしても、井上さんの僅《わず》かばかりの遺産を、家族が手にするのは難しいけど」

「どうして」

「さっきも言ったけど、死体がない」

腰高窓の桟に少し残っていた白い砂を指先につけて、余見は言う。

「死体がなければ、医師は死亡診断書が書けない。死亡診断書がないと保険金は受け取れない。はたから見れば井上さんは失踪《しっそう》しただけで、死んだ証拠はなにもない。となれば、相続もできない」

「……じゃあ、どうしたら……」

「家裁による失踪宣告がなされれば、法律上は死亡したことになるけど、そもそも失踪宣告は失踪して七年以上経《た》ってないと審判申立できないからねー。ま、いつかはもらえるだろうから、いいんじゃないの？」

ふうっ、と指先の白い砂を吹いて余見は言った。

骨だった砂は、風に乗って……千の風になって…………じゃなくて！

「待てよ、七年なんて、時間かかりすぎるだろ。少しでも早くお金が必要だろ、ここんちには」

「そんなこと、僕に言われても」

たちの悪いクレーマーを見るような視線で、余見が俺を一瞥《いちべつ》する。

「だいたい、あんた、ちゃんと説明してなかったじゃないか。井上さんだって、自分がこんなふうに【崩壊】して、そうすると家族の力になれないってわかってたら、フツーに契約して、死体を残したはずだよ。明らかに説明不足なんだよっ」

「うっわー、なんかうざいなー、梶くん。どうしたの、オタクでひきこもりのくせに、突然いい人っぽくなっちゃって」

あからさまな侮蔑《ぶべつ》の眼差《まなざ》しと言葉をぶつけられ、それでも俺は怯《ひる》まなかった。この素《す》っ頓狂《とんきょう》な男の暴言に、いくらか慣れてきたからかもしれない。

「齋藤さんには死亡保険のオマケまでつけたのに、井上さんにはろくな説明もなしかよ。それって、めっちゃ不公平感あんだけど？」

「なんで公平にしなきゃいけないの？」

真顔で聞かれて、俺は言い淀《よど》む。

「…………そりゃ……」

「この世の中に公平なことなんてほとんどないってこと、きみはよく知ってるじゃない。

なのに、死神には公平を求めるわけ？」

「け、けど……あんた、あんただって、言ってたじゃないか。いい人には、オマケをつけるとかなんとか……井上さんは、そりゃちょっと頑固なばあちゃんだったけど……悪い人じゃなかったぞ。家族思いだったし……」

「いい人？　そんなこと言ったっけ？」

「言った」

俺が言い切ると、余見は空を見るように考え、やがて瞬きと同時に「あー」と声を発した。

「そのいい人は、善人って意味じゃないよ。僕にとって『都合のいい人』ってこと。齊藤さんはものわかりがよくて、すんなりサインしてくれたからねー。クライアントがみんなああだったら、僕はすごく楽なのに。けど、井上さんは面倒だった。サイン拒否して、息子に会いに行くとか言い出すしさあ。手間かかったわりに、結局【崩壊】だし。とにかく、きみに責められる謂《い》われはない。ひきこもりのニートが僕に意見しようなんて、おこがましいにもほどがある」

「お、俺はニートじゃ……」

「マンガを描いてなきゃマンガ家って言わないの。パン売ってなきゃパン屋さんじゃないでしょ。ほら、掃除終わったらさっさと行くよ。もうここに用はないんだから」

金色のアタッシェケースを取ると、余見はさっさと部屋を出る。

確かに、この場に居続けるのは危険だ。窓ガラスの割れた屋内に、不審者がふたりいて、女子高校生は失神している……死体は消えたにしろ、事件現場さながらである。

俺が慌てて余見を追いかけると、奴はくるりと振り向いて「はい」と当然のように、アタッシェケースを押しつけてきた。つい受け取ってしまう俺も俺だ……。

「ちょっと寄るところがあるから」

階段を下りながら、余見は言う。

「え。どこ」

「ついてくればわかる」

井上家を出ると、もう二月の空が暮れ始めていた。

ちょうど駅方向の夕日に向かって歩き始め、数分のうちにひとりの男とすれ違った。スーパーの買い物袋を両手に提げ、疲れた様子で背をやや丸めて歩く中年男だ。

すれ違いざま、余見が「井上さん」と声を掛ける。

俯きがちだった男は「え」と顔を上げ、余見を見てちょっと驚いた顔で足を止めた。こんな派手な知り合いなんかいない……とでもいうような顔だ。

余見のほうは、首だけ軽く捻《ひね》って、

「おたくのガラス、割られてたみたいですよ?」

とにこやかに言った。

「……は？」

「あと、娘さん。不登校の娘さんね、具合悪そうでした」

男の顔色が変わる。

ぶるぶると震えながら「あ、あんた、なんだ」と余見を見据えた。

「ゆ、友菜になにをした……ッ」

「おや、怖い顔だ。べつになにも？」

死神はあくまで笑顔で答える。

「僕はなにもしていない。しなきゃいけない理由もない。あなた方に興味なんかないし、正直どうでもいいし、仕事でなきゃこんなとこまで来る気もなかった。娘さんは勝手に倒れたんです。白眼剝《む》いて」

「……っ、なっ……」

「原因は彼女のお祖母ちゃん、つまりあなたのお母さんだ。彼女が死んで、孫の目の前で【崩壊】して、ドロドロに腐っていったので、友菜ちゃん失神しました」

「……っ、……っ」

男は声も出ない様子だった。

「あなたがリストラを隠したりするからですよ？」

ふぅ、と余見は息をついて男に向き直る。ホントめんどくさい……という表情だ。一方の男は、じりじりと後ずさり、余見から離れる。不吉なことばかりいう美貌《びぼう》の不審者を、恐れているかのように。

「あなたは言わなかった。リストラされた事実を母親に告げなかった。心配をかけたくなかったから、言わなかった。そこがポイントだ。心配かけたくない……それはあなたの願望にすぎない。母親を思いやっているようで、実は自分の都合だ。自分が言いたくなかっただけ。どうしてリストラなんかされたのか、ちゃんと仕事をしていたのか、不当な扱いならばそれと戦うべきじゃないか——などなど、よく事情を知りもしない母親から、ああだこうだ言われたくなかった。職業婦人だった母親は強い人だから、鬱《うつ》病になった自分の気持ちなど理解できないだろう。そう判断した。そう、確かに心配はかけたくなかった。面倒だからだ。心配されるのが負担だからだ。母親に心配かけてしまったと、自分を責めるのが嫌だったからだ。逃げたんだ。本来なら、家族に起きた試練として、早急に連絡して、問題を共有すべきだった。正直に告げて、自分の弱さを認めて、みんなで考えて、解決策を探るべきだった。そしたら井上さんだって、息子に捨てられたなんて誤解はしなくてすんだ。【崩壊】なんて消え方をしなくてすんだんだ。けれどあなたにはそうできなかった。弱い。なんて弱い。人間はみんな、脆弱《ぜいじゃく》もいいところだ。弱いくせに狡賢《ずるがしこ》く、数ばかり無駄に増えて、この世にはびこっている」

アーッ、と烏《からす》が鳴く。

冬の夕暮れに、二羽。死神の上空を旋回している。

男の顔色は、紙のように白い。もしかしたら俺も同じだったかも知れない。事実という矢を、次々に放ち続ける余見は容赦がなかった。

「そんなあなたのせいで、お母さんは【崩壊】しましたよ」

最後に、とってつけたように営業スマイルを見せる。心なんかこれっぽっちも入ってない笑顔……死神に心があれば、の話だけれど。

男は言葉もないまま、顔を歪めて踵を返す。

そして走り出した。我が家を目指して。

スーパーの袋が揺れ、タマネギがひとつ落ちて転がったが、振り返りもせず全力疾走する。その後ろ姿は見る見る小さくなっていった。

これから彼は、あの小さな建売住宅で、割られたガラス窓を見つけるのだろう。

ベッドで失神している娘を見つけて驚くのだろう。たぶん娘はすぐに目を覚まし、なにか口走るかもしれない。お祖母ちゃんが来て、変な男たちが一緒にいて、ドロドロに腐ったんだよ、だとか。

けれどなんの痕跡もないのだから、そんなのはただの悪い夢だ。

息子は念のためと自分に言い聞かせながら、母親に電話をする。

でも誰も出ない。出るはずがない。

もう二度と出ない。会えない。

死ぬというのは、そういうことだから。

「これでいいわけ？」

余見が俺に聞いた。

「え……？」

「きみが言ったんじゃないか。明らかに説明不足ってね。井上さんはもういないから、息子のほうに、丁寧に事実を説明しておいたよ。ああ、僕って、本当に親切な死神。」

余見はそう言って夕暮れの下でくるりとターンをし、再び歩き出した。

3

「うっわー、さしたる取り柄もなくヒーローになった高校生、実はエイリアンと地球人のミックスで、アメリカ大統領の精神を乗っ取った悪いエイリアンと、戦いに突入したよ？　ともに戦う仲間の能力は、テレパシスト、サイコキノ、拳《こぶし》から鋭い爪《つめ》を出す男……あれ？　これやばくない？　パクリじゃない？」

「その爪はプラスチックで、派手なネイルアートがしてあって、野獣ぶってた男は実はオネエだったたってことが、次の巻でわかる」

「えーッ。このキャラ、オネエなの？　そうなの？　っていうかネタバレしないでよー。先を読む楽しみがなくなるじゃないか。はい、次」

俺は余見に28巻を渡した。相変わらずのスピードで、一冊を約一分で読んでしまう。

「……もうちょっと、じっくり読めないのか？　その一ページ描くのに、作者がどれだけの労力をかけてるか……」

「なにを偉そうに。自分で描いたわけでもないのに」

「い、一応……マンガの描き方くらいは知ってる」

「描き方を知ってても、描かなきゃ意味ないじゃない。はい、次」

俺は29巻を渡した。テーブルの上には、最新刊の32巻までがある。積まれたマンガの横には、俺の注文したクリームパスタがすっかり冷めて、出来の悪い食品サンプルみたいな質感になっていた。一応手をつけたものの、胃が重くてほとんど食べられなかったのだ。なにしろあの生々しい【崩壊】を見たあとなので、繊細な俺の胃はすっかり縮こまってしまっていた。

ファミレスの、窓際《まどぎわ》の席である。

すごい勢いでマンガを読む余見を、頬を染めたウェイトレスがしきりに気にしている。俺のことなど一瞥もしない。ファミレスでマンガを読む男なんて恰好《かっこう》悪いはずなのに……結局、顔がよければすべてよしということなのか。

でも、こいつ、人間じゃないから。

死神だから。そんでもって、すげー性格悪いから。

そう暴露してやりたいところだ。そしたら彼女はきっと俺に感謝する。どんなにイケメンでも、死神じゃしょうがない。縁起が悪すぎる。しかもこの死神、マンガをバカにしてたくせに、結局俺の部屋にあったマンガの続きが気になって、井上さんちの帰りに駅ビルに入ってた本屋で最新刊までまとめ買いしてた。

埼京線の中で読むのかなと思っていたら「電車で本を読むと酔うから」とか言って、結局こっちに戻ってきて、『ニルバーナ』に行ったら満席で、しかたなく少し離れたファミレスに入って、現在に至る。

「おおお……しばらく出番のなかった幼馴染《おさななじ》みの女の子が、敵側のキャラとして登場したよ……彼女ひとりで空母一隻なみの強さだって。でもちゃんとパンチラなんだねえ。そこは変えちゃいけないところなんだな」

と感心しつつ、最新刊を置いた。

「読み終わってしまった……僕はこれからなにを楽しみに生きれば……」

「死神って生きてんの？」

「生きているといえば、生きている。生きてないといえば、生きてない」

「なんだそれ。禅問答？」

「含蓄がありそうで実はまったくない、話の流しかた。便利だから今後の人生で使うといい。次はどんなマンガを読もうかな。なにが面白いのか教えてよ。マンガとかアニメとかゲームについての知識は、きみの数少ない……いや、唯一《ゆいいつ》の取り柄だろ？」

コーヒーを飲んで余見は言う。死神はものを食べないとか言っていたけれど、飲むぶんにはいいのだろうか。そういえば『ニルバーナ』でもコーヒーを飲んでいた。

「この国の現状を知るために、最新のヒット作がいいな」

「最近のマンガはあんま読んでないから……よくわからない」

「読んでない？　どうして？」

「……面白いの、ないし」

「すごいね梶くん、きみってエスパーだったのか！　読んでないのに、面白くないってわかるんだ！」

感心声はもちろん、痛烈な嫌味だ。俺は顔を歪《ゆが》めて「あんたになにがわかるんだ」と言い返すというよりも、ぼそりと呟《つぶや》いた。

「わかんないよ、なにも。きみのことなんか、僕が知るわけないだろ？」

「…………」

「世の中に溢《あふ》れているマンガが、全部自分の描くものより面白い気がして、だから読むのがいやになって、まだろくに作品を仕上げたこともないのに『こんなにたくさんマンガがあるのに、俺が描く意味があるのか？』なんて悩むポーズして、自信喪失っぽく装《よそお》ってるけど、実のところきみにないのは自信じゃなくて根気、ひとつのことを粘り強く続けるという根気が感心するほどない、つまりきみは根気のないオタクでひきこもりのニート……という程度しか、きみについてなんて知らない。そんな自分を知ってほしいとか、ほんと気持ち悪い承認欲求だよね。あ、すみませーん、コーヒー冷めちゃったので、あったかいのもらっていいですか？」

聞き惚《ほ》れるようないい声で、俺への罵詈雑言《ばりぞうごん》を並べ立てたあと、コーヒーカップを軽く上げて余見はウェイトレスを呼んだ。はぁい、と愛想のいい返事があって、わりと胸の大きい女の子がやってくる。俺はすぐに視線を外してテーブルを見つめる。目つきだけで痴漢呼ばわりされたら大変だ。

「しかも、自意識過剰」

ウェイトレスがいなくなると、余見がクリームポーションの蓋《ふた》を捲《めく》りながら言う。

「……え」

「僕みたいなどこに出しても恥ずかしくない美形ならともかく、きみのことなんかみんな気にしてないってば。なのに他人が近づくとすぐぶおんっ、て目をそらす。ぶおんっ、だよ？　わかる？　風切る音だよ？　きみってF1レーサーかなんか？　違うでしょ？　なら、そんな勢いで目線を外さなくていいから。よっぽど悪目立ちだよ」

「……F1はぶおんっ、なんて音じゃない」

「じゃあどんな音なの」

「キュインッ、みたいな。チュインッ、みたいな……。どうでもいいよ、そんなこと。目をそらすのは癖なんだからしょうがないだろ」

「はい、出た、『しょうがない』。それってもともと『仕様がない』って書くんだ。仕様っていうのは、手段とか方法という意味ね。為《な》すための手段や方法がまったくない時、あるいはあまりに急なアクシデントで回避する手立てなど皆無、そういう時に使うのが『しょうがない』であって、努力を怠るという意味じゃない。たとえば、だ」

余見が顔を動かさないまま、手首のスナップをきかせ、ピッと窓の外を指さした。

俺は首を捻って、すっかり暮れた夜の街を見る。

このファミレスは角地にあるので、ちょうど交差点が見える。二車線道路が交わっていて、横断歩道の手前では信号待ちしている人々がいた。時間的に、用事がすんで帰途につくか、夕食にでも繰り出す頃だろう。

スーツを着たサラリーマン風の男、若いカップル、おしゃべりに夢中な女性の二人組……おしゃべり女の片割れがよほどおかしいことを言ったのか、もう一人が大袈裟《おおげさ》に笑い、後ろに立っていた男にぶつかった。

大きな紙袋を両手に提げていた眼鏡の男はよろけて、二歩後退した。

女が慌《あわ》てて謝る。声はもちろん聞こえないけれど、様子でわかる。

男は軽く首を横に振った。いえ、大丈夫です、気にしないで……そんな台詞《せりふ》が俺の頭に浮かぶ光景だ。

交差点の人々。

よくある日常のひとコマ。

それがぶち壊される瞬間を——俺は呆《ほう》けたように見ていた。

そうする他にできることなどなにもなかった。交差点はよく見えたが、俺のいる場所からは離れていたし、仮にすぐ近くにいても同じだったろう。

いったいなにができる？

歩道に突っ込んできた自動車を、誰が止められる？

人間が飛ぶところを初めて見た。飛ばされるところ、か。車のフロントにぶつかって、ぽーんと数メートル先の歩道に落ちた。交差点にいた人たちも、突然のことに理解が追いつかない様子だった。飛んだのは眼鏡の男で、ついさっき彼にぶつかった女性が、やっと悲鳴をあげ、それを合図にするみたいに、みんなが騒ぎ出した。

「ね。ああいうの。ああいう時に、しょうがない、って使う。あのスピードで来られたら、避けようがないもんねえ」

のんびりした口調で余見は喋《しゃべ》る。

「あ、あんた、事故があるって知ってたのかよ……」

「うん。死神だからね」

「知ってたなら……どうして……」

「助けないのかって？　死ぬ人助けたら、死神じゃなくなっちゃうじゃない。ちなみに全部の『死』を把握しているわけじゃないからね？　いま僕がいる場所の近くで、短時間のうちに死ぬ人がわかるっていうだけで…………あれ？」

余見が身を乗り出し、交差点を見る。

吹っ飛ばされた男が、よろめきながらも立ち上がっていた。

慌てた様子で、散らかった紙袋の中身を……なにかヒラヒラした小さなものをかき集めている。周囲の人が、彼に声をかけている。たぶん、大丈夫なの？　大丈夫です、みたいな会話なのだろう。

「なんだ。生きてるじゃん」

「………うーん？」

余見は大きく身体《からだ》を傾けて、悩んでいた。と、スマホを取り出して、スルスルッと操作し「あ、やっぱり」と呟いた。

「なに見てんだ？」

「LINE」

「死神もLINEすんのか」

「このドクロマークのスタンプきたら、クライアントだって意味。つまり、あの彼はもう死んでる」

「え」

「さあさあ、仕事だ！　あ、ここ払っといて」

余見はコートを摑《つか》んで、颯爽《さっそう》とファミレスを出て行く。

俺は奴《やつ》のコーヒー代まで払わされ、アタッシェケースを抱えて後を追った。彼の周囲はちょっとした人だかりになっていて、みんなで落としたものを拾ってあげていた。

三十代半ばの、ちょっと気の弱そうな雰囲気の男だった。

紺色のスーツに、フードのないダッフル型コートを着ている。本人、ごく普通に動いていて、頬に少し擦り傷ができている以外、外傷は見当たらない。

でも死んでいるのだ。

死神が言うんだから、死んでいるのだ。

「す、すみません、ありがとうございます……おかげさまで、全部拾えました」

頭を下げる彼を、余見は少し離れた場所で観察していた。誰かが眼鏡を拾って、男に手渡す。「助かります」と男は眼鏡を掛けた。片方のレンズにヒビが入っている。

「ちょっとあんた、病院に行かなきゃだめよ?」

中年女性が、男に声を掛けた。

「いえ、なんともないので……」

「いま平気でも、頭を打ってたりしたら怖いのよ。それに、交通事故なんだから、ちゃんと警察に届けないと」

「ありがとうございます。でも、本当に平気です。あの、すみません、僕とても急いでいるので……」

他にも、数人が男を引き留めたのだが、よほど急いでいるのか、彼はあたふたと歩き出した。少し足を引きずっているものの、それでもなかなかの早足だ。震えながら呆然《ぼうぜん》と見送っている男は、恐らく加害者だろう。車は路肩に駐めてあった。誰かが加害者の男に、「警察を呼ばないと」と話しかけ、男はガクガクと頷《うなず》いている。

余見が歩き出す。

俺もついて行く。

長い脚を活用した歩幅で、余見はほどなく男に追いつき「こんばんは！」と明るく挨《あい》拶《さつ》した。男はぎょっとした顔を見せたが「こ、こんばんは」と律儀《りちぎ》に挨拶を返した。ただし、早歩きの足は止めない。

「お急ぎのところすみません。私、こういう者です」

余見が例の名刺を見せる。男の両手は紙袋で塞《ふさ》がっていたが、左側を腕にかけて「片手で失礼します」と丁寧に受け取った。

急に男の足が止まる。

「……死神？」

名刺を凝視して呟き、次には「わっ」と驚いた。名刺が赤く燃え、たちまち灰になって消えてしまったからだ。この現象が現れたからには、間違いなくこの眼鏡男は死んでいる。

「はい、そうなんです、死神なんです〜」

その朗らかさ、なんとかならんのかと俺は心中でつっこむ。人間の考える死神のイメージを尊重する気持ちなど、余見にはこれっぽっちもないらしい。

「ああ、びっくりした……。この名刺は、どういうトリックです？　ニトロセルロースでできてるのかな……？」

「いいえ。タネも仕掛けもない、死神の名刺です」

「死神……ということは、あれですか。僕、これから死ぬんですか？」

生真面目《きまじめ》な顔でそう聞く。どうやらこのクライアントは素直タイプらしい。

「いえ、そうではありません」

「ああ、よかった……」

「もう死んでるんです」

一度は安堵《あんど》した男の顔色が、さーっと青く……と言いたいところだが、実のところさっきからずっと青白い。簡単にいえば死人の顔色である。

「……死んでる？」

男の顔に、納得しかねます、と書いてある。

「はい」

「でも……呼吸してるし、脈も……」

「それでも死んでます。なんとも言葉にしがたい違和感、ありません？　若い人の場合、わりと死んでる感じがクリアなはずなんですが」

死んでる感じってなんだ？　それってどういう感じなんだ？

俺にはさっぱりわからないが、男は黙りこくって思案顔だ。違和感、とやらを得ているのだろうか。

「じつはですね」

しばらくして、彼は語り出す。

「車にぶつかって、飛ばされて、最初に起き上がったときなんですが、足首がおかしな方向に曲がってまして。その、通常では考えられない方向に……」

俺は男の足を見た。

しかし、とりわけ異常は見当たらない。ふつうの向きで、ふつうに安そうな合皮の靴を履いている。靴下は黒だ。

「そのまま立つと、つま先が右と左で逆を向くという……そういう曲がり方で」

え？

それって、要するに骨折してたってことじゃないの？　足首の骨、グチャグチャだったんじゃないのか？

だが余見は平静な顔のまま「ふむふむ。それで？」と話の続きを促す。

「僕、すごく焦《あせ》ってしまって、まずい、このままじゃ立てないと思ったので、自分で足首を持って……思い切りグイッと、正しい位置に捻り戻したんです」

「げっ」

思わず声を上げた俺を、余見が「うるさい」と睨《にら》む。

「それで、なんとか立てたんですけど……その時、あれ、ヘンだなと思って……こんなに足曲がってて、それをさらに無理に曲げたのに、ぜんぜん痛くないなあって……」

「いいところに気がつきましたね！　そうなんですよ。痛くないんですよ、なぜならば死んでるから！」

「あの、でも、感覚がないわけじゃなくて。たとえば、こうやって、抓《つね》ると痛いし」

男が自分の腿《もも》を抓りながら言う。そうだよな……もし、死んだら痛みを感じなくなるなら、抓った感覚だってないはずじゃないか。

「それはですね。抓った程度の痛みは日常的にあったため、記憶を再生しやすいんですよ。『抓ったら痛いはず』という記憶が、その感覚を呼び覚ますんです。でも、骨折の痛みは日常的じゃないでしょ？　だから記憶再生されにくい」

「記憶の再生……」

「死んでるにもかかわらず、歩いたり喋ったりしているのも同じです。日常的にしていた行動だからできるんです」

「つまり……僕はすでに死んでいるのに、死んでいるという自覚に至っておらず、生前の記憶で身体を動かしている……そういう状況なんですか？」

「素晴らしい！」

パンッと手を叩《たた》いて余見が感心した。

「なんて聡明《そうめい》な方なんだろう！　爪の垢《あか》を少々いただいて、梶くんに摂取させたいくらいですよ！　ほら、梶くん、もらっておきなさい」

「……いらないよ。それより、あんま立ち止まってないほうがいいのかも」

俺は男の足元を見ながら言う。色が黒だったからよくわからなかったのだが、彼の靴下はかなり濡《ぬ》れていて、その液体はどんどん靴にまで染み入り……ゴプッと溢れて、道路を赤く染めているのだ。

「おや、ほんとだ」

余見はさらりと言い、男は自分の血を見て息を呑《の》んでいた。息をしているのかどうかはわからないけど。

「目立つのはよくないから、移動しましょう。おうちはこの近くですか？」

「は……はい……」

「ではそこで詳しく説明します。大丈夫、安心してください。今は混乱されていると思いますが……」

にっこり笑った死神が「ちゃんと死ねますから」と男に言った。


男の住むマンションは、そこから五分も歩かない場所にあった。

シングル向けのワンルームからは几帳面《きちょうめん》な性格が窺《うかが》える。無駄なものはなく、家具の配置はスッキリしていて、ベッドの上の布団も整えられ、小さなキッチンのシンクはピカピカ——俺の部屋とは大違いである。

だが、整理整頓《せいとん》された空間の一部分だけが、ごちゃごちゃしていた。

ごちゃごちゃで、ヒラヒラで、キラキラでリンリンだ。

「………高橋さん、これ何個つくるんです？」

うんざりした調子で、余見が聞く。

「予備も含めて、一二〇個です」

せっせと手を動かしながら、高橋と名乗った男が答える。

「今時、そんなに招待客が多いんですか？」

「いえ、披露宴はほとんど親戚《しんせき》だけで、二次会用が多いんです」

「こういうの、自分でちまちま作らなくても、売ってるでしょう？　ネットでも取りよせられるだろうし」

「自分たちで作った方が安上がりだし、手作り感があると彼女が言うので……」

「自分たち、って。高橋さんだけじゃないですか。彼女、いまなにしてるんです？」

「パックしてるか、もう寝てると思います。美容のために」

「それってなんか釈然としないなあ……っていうか、僕はもう飽きました！　なんで死神がこんなチマチマした作業をしなくちゃならないんですか！」

作りかけのラッピングを放り出し、余見はゴロンと後ろに倒れる。死神にも苦手分野はあるらしい。

俺たち三人は、ローテーブルを囲んでいた。

テーブルの上にあるチマチマしたものたちを具体的に説明すると、ドラジェ、小振りのOPP袋、やはり小さなオーガンジーの袋、小さなハート型のメッセージカード、これまた小さな金の鈴、そして細い水色のリボンである。ドラジェというのは、アーモンドを砂糖でコーティングした菓子で、結婚式でよく使われるらしい。きっと縁起物なのだろう。今日ここにあるのは、白と薄いブルーの二色だ。

手順を説明しよう。

まずドラジェをＯＰＰ袋に入れて、テープで封をする。

それをさらにオーガンジーの袋に入れる。オーガンジーというのは、なにやらヒラヒラして透け感のある生地だ。メッセージカードも入れる。カードには、

『本日はお忙しい中、誠にありがとうございました。今後とも、私たちふたりをよろしくお願いいたします。高橋兆司《ちょうじ》・小夜《さよ》』

とある。すべて手書きだが、これも高橋が書いたものだ。……というか、今もせっせと書き続けている。

そしてオーガンジーの袋の口を、リボンで結ぶのだが、そのリボンに小さな金の鈴を通すのを忘れてはならない。水色のリボンを、きれいなチョウチョ結びにしたら、できあがりだ。

これはなにか？

結婚披露宴、および二次会でゲストに渡されるプチギフトである。

なぜこんなものを、この時間、俺たちが必死に作っているのか？

明日が結婚式だからである。

誰の？

高橋さんの。

先刻車にはねられて死んで、でもまだカードをせっせと書いている高橋さんの、だ。

「おふたりにはご迷惑をおかけして、申しわけなく思っています。……あ、梶さん、とても上手ですね」

俺のチョウチョ結びを見て、高橋さんが褒《ほ》めてくれる。

「細かい作業はわりと好きなんで……」

「人間、なにかしら取り柄があるものだね」

「寝転がってないで、あんたも手伝えよ」

「リボンに鈴を通すのは死神の仕事じゃない。……ねえ、高橋さん。そんなカードより、契約書にサインをしましょうよ。サインして寝れば、明日、目が醒《さ》めなくてすむんですよ？　女ばかりが楽しくて、男はただの添え物で、気苦労が多いだけの結婚式なんかしなくていいんですよ？」

「余見さんのお言葉には、正しい部分もありますが……それでも僕は結婚式をしなければならないのです」

顔を上げ、ヒビの入った眼鏡をクイとあげて高橋さんは言った。

「結婚式の準備というのは……僕の予想以上に大変なものでした。会場探し、メニューの選定、招待客の選出も困難で、それ以上に席次を決めるのが難しい……！　引き出物選びに、ドレス選び、ヘアメイクのリハーサル、花嫁エステ……これは僕は送り迎えをしただけですが……ブーケとブートニアを選ぶのも一苦労です。もし僕が今夜死んだら、これらの努力がすべて無駄になってしまう。なにより、結婚式という一大イベントを楽しみにしている小夜さんが、どれほど怒るかと想像すると…………！　お、恐ろしくて死んでる場合じゃないです」

ぶるり、と震えて高橋さんは言う。

小夜さんというのが明日の花嫁だ。職場結婚だと、さきほど説明してもらったところである。高橋さんは、結婚する前から恐妻家なのだ。

「小夜さんて、そんなに怖いんですか？」

俺の問いに、高橋さんは深く頷く。

「最強にして最恐です。漢字で書くとこうです」

「あ。うんうん。それね」

死神より怖い嫁か……三次元の女性はやっぱり大変そうだ。俺が日々、妄想の世界で楽しく過ごしているのは正しい選択らしい。

「もうひとつ聞いていいですか」

「はい。どうぞ」

「そんな怖いのに、なんで結婚しようと思ったんですか」

「最強にして最恐、そして最愛の人なんです。怖いところも含めて、彼女のことが大好きです」

「え。高橋さんMなの?」

冗談半分で聞いたのだが、高橋さんは「どうでしょう」と真剣に考え出した。余見は大あくびをして、リボンを弄《いじ》っている。

「僕、化学メーカーの研究職なんです。彼女は経理課にいて、書類の書き方を聞きに行ったのが始まりでした。僕は書類仕事もきちんとしていたいタイプなんですが、同僚は杜撰《ずさん》な人が多くて……。いつのまにか、人のぶんまで押しつけられるようになってしまいました。そしたら、それに気づいた彼女が、すごく怒ってくれたんです」

小夜さんは、仁王立《におうだ》ちで物申したそうだ。

——なんで自分の仕事を自分でできないんですか? もしかして、俺は研究だけしてりゃいいんだとか、思ってません? 交通費の精算書一枚出せない人に、どんだけ大層な研究ができるっていうんです? どうしても自分で精算書が書けないんなら、自分の甲斐性《かいしょう》で個人秘書でも雇ってください。高橋さんには高橋さんの研究があるんですから、その時間を奪う権利は誰にもないはずです!

「……と、鬼神のごとき剣幕で。彼女、体格もいいんです。ずっとバレーをやっていて、腕と脚ががっしりしてて、身長も一八二センチあるから、すごい迫力で……僕、もう、聞き惚れてしまいました」

「はあ。そうですか」

高橋さんはやせ形で小柄なので、体格差カップルということか。

ノロケモードに入ったリア充ほどうざいものはないが、そもそも聞いたのは俺なんだから、ひととおり耳を傾ける義務はあるだろう。理系でややオタク気質な高橋さんとは、なんだか話がしやすい。本棚にはちらほらマンガもあったりするし。

余見はといえば、退屈を持てあましたのか、リボンを繋《つな》げて輪にし、ひとりであやとりを始めている。のび太か、あんたは。

「いい彼女ですね。高橋さんのために、同僚に注意してくれるなんて」

「はい。でも、その直後、僕はもっと怒られましたけど」

「え？」

——だいたいあなたが、なんでもヘラヘラ引き受けるからいけないんでしょ、自分の仕事じゃないんだから、はっきり断りなさいよ、そういうの見ててイライラすんのよ。ほらっ、またヘラヘラしてる！　あんたの身体、ちゃんと骨入ってんの？　腹に力入れて、ピシッとしろっつーの！

と、怒鳴られたそうだ。ほとんど罵倒だよな……。

「その瞬間、結婚しよう、と思いました。まだつきあってもいなかったのに」

あ、やっぱりMだ。ドMだ。

俺はそう確信したが、口には出さないで「なるほど」とだけ返す。

「彼女の怒りには、いつも愛があります。僕のことを考えてくれてるからなんです。このドラジェ作りにしても、本当は彼女がやってしまうこともできたはずなのに……僕のために、とっておいてくれたんです。だって、準備したことも、大切な思い出になりますからね」

すごいポジティブシンキングだ。性格なのか、愛の力なのか、あるいはドMの血がそうさせるのか……まあ、本人が幸せならばいいと思うけど。

「それに、僕みたいに気弱なタイプは、ああいう奥さんがいいと思うんですよ」

リア充が興に乗ってきて、ちょっと早口になった。

「たとえば将来、子供がイジメに遭ったと仮定して……僕だったら、慎重すぎて臆《おく》してしまい、穏便にすませようとしてしまうかもしれません。でも彼女は違うと思います。戦うべき相手とはすべて戦い、全力で子供を守ってくれるはずです」

「それは心強い気もするけど……暴走して、モンスターペアレントになったりしないのかなあ」

「そのときは、僕がストッパーになります。そういう意味でも、僕らはいいカップルになれると思うんです」

「割れ鍋《なべ》に綴《と》じ蓋ですか」

「そうそう」

高橋さんは、相変わらず青白い顔のまま、それでもご機嫌で頷いた。

「結婚……か。他人と暮らすのって苦痛じゃないですか？　俺には考えらんない」

「僕もそう考えていた頃がありました。もともと社交的ではないし、自分のペースで暮らしたいほうなので」

「ですよね。自分のペースって、ありますよ絶対」

「他人と暮らすと、自分のペースは当然崩れてしまうわけですけど……そしたら、今度は新しいペースができるんじゃないかな、と。ふたりで作る新しい生活リズムとか、人生のテンポとか……。音楽でいったら、楽器が二台になるみたいな」

「すんごい不協和音になったら？」

あはは、と笑いながら高橋さんはペンを置いた。どうやらカード一二〇枚は書き終わったらしい。最後の一枚まで、丁寧な字だ。

「あり得ますよね、不協和音。そうなったら、そこからまた考えます。話し合って、お互いチューニングして、時間をかけて、じっくりと……。そんなふうに作る人間関係は、悪くないんじゃないかって、思えるようになってきたんです」

ヒビ入り眼鏡の下、微笑《ほほえ》んで高橋さんが言う。そこへ「お言葉ですが」と余見が会話に割りこんできた。

「じっくり時間をかけるのはもう無理ですし、子供がイジメに遭う心配も不要ですよ。

高橋さん、すでに死んでますからね。……ハイ、三段はしご！」

……いや、あやとりはいいから。

余見の指摘に、高橋さんの顔からスッと笑みが消えた。

「そうでした……僕、死んでるんですもんね……」

死神が告げたのは、残酷だが真実だ。高橋さんは確かに死んでいる。

彼の右足首はボッキリと見事に折れていて、どうやら骨が皮膚を突き破っていたらしい。そのせいですごい出血があったのだ。高橋さんはその骨を無理矢理もとの位置に戻し、足を引きずりながらも歩いた。生きていたら、激痛で歩けるはずもない。歩けたのは、死んでいるからなのだ。

現在は包帯でぐるぐる巻きにし、がっちり固定している。

ただし、死因は足首ではない。余見いわく、頭の打ち所が悪かった、というやつらしい。確かに、高橋さんの後頭部にかなり膨れている部分があった。髪のせいでパッと見はわからない。これも生きていれば、内出血が進んでもっと膨れあがっていたそうだ。

病気であれ怪我《けが》であれ、死ぬことで進行は止まるらしい。

「余見さん、改めて質問していいでしょうか」

高橋は姿勢を正し、余見に顔を向けた。

「どうぞ～。ハイ、ほうき！」

死神はあやとりが好きなのか、たまたま余見が好きなのか……。だが高橋さんは気にすることなく、あやとり死神に質問をする。

「現在の僕は、死んでいるのに動いているという、医学的にはあり得ない状態にあるわけですよね。で、先ほど余見さんはそれは【魂】が関与しているからだと仰《おっしゃ》いました。つまり、肉体という物質を動かすエネルギーを、その【魂】が作り出しているという解釈でいいんでしょうか」

「理系っぽいご質問ですねえ。その解釈で間違っていませんよ。死んでる以上、代謝システムは稼働《かどう》していないので、別途身体を動かすエネルギーが必要ですから」

「その、代謝なのですが、低くなっているのではなく、完全に停止している?」

「はい。代謝が低くなっているだけなら、仮死状態ですからね。橋からカメ〜」

「今、僕の身体は低体温状態にあり、おかげで体内の腐敗が防げているというご説明でしたが、この低体温を保つことにも、一定のエネルギーが必要だと思います。それもまた、【魂】のおかげだと?」

「カメからゴム、そして…………飛行機!」

あやとりの連続技を披露する死神に、高橋は律儀にパチパチと拍手を送っていた。余見にじろりと睨まれたので、仕方なく俺も拍手につきあう。

「ありがとう、ありがとう。……さて、ご質問の件ですが、その解釈であっています。

たとえば、夏場だと低体温に保つためのエネルギーが多く必要なので、【崩壊】へ至る時間が短くなる、と。

「梶さん、見たんですね？　【崩壊】については、実際見た梶くんにお聞きください」

しばし考え、俺は答える。

「……かなり、えぐかったです」

「レイティングでいうと、R15くらいでしょうか」

「いや……R18……もっとかな……ぎりぎりミニシアター上映くらい……？」

「なるほど。審査適応区分外ということですね」

ふむふむ、と高橋は頷き、顔の向きを変えて「【崩壊】はできるだけ避けたいです」と余見に申告した。

「でしたら、契約書にサインしていただくのが一番です。何度も言ってますけど」

やっとあやとりに使っていたリボンを手から外し、余見が説明する。

「いくら強靭《きょうじん》な身体と心の花嫁でも、目の前で【崩壊】がおきたら、すんごいトラウマになりますよ？」

「……目撃者の記憶には残らないって、あんた言ってたぞ」

「うるさいアシスタントだね。表層記憶には残らないけど、深層部には残る人もいるんだよ。あとで夢でうなされたりするの。ですから高橋さん、ぜひサインを」

「いいえ。明日の結婚式だけは決行しなければ、小夜さんがどれほど怒るか……」

「どんなに怒ったところで、あなたもう死んでるんだから関係ないじゃないですか。それに、今のうちに死ねば彼女に離婚歴つきませんし」

「あ、籍は新婚旅行のあとにしているんで、それは大丈夫です」

「新婚旅行だって、早いうちにキャンセルすれば旅行代金が戻って……」

「そっちは逆に、どのみちキャンセル料が発生する時期でして……僕が今死んでも、明日死んでも、関係ないかと」

「…………つまり、どうしても、明日まではサインしてくれないんですね？」

申しわけありません、と高橋が頭を下げ、余見が深い溜息《ためいき》をつく。

「式と披露宴、何時からでしたっけ」

「十一時に始まって、三時に終わる予定です。そのあと五時から二次会で」

余見はしばらく黙り込み、思案していた。そしてスマホを取り出すと、電卓を呼び出してなにやら計算し始める。なかなか複雑な計算らしく、たっぷり三分ほどのちに、

「二次会は、諦《あきら》めたほうがいいです」

と高橋に告げた。

「そこまで保《も》ちませんか」

「【魂】の残存エネルギーから計算して、難しそうです。二次会の盛り上がりの中で、

いきなり【崩壊】はまずいでしょう？　僕も上から叱《しか》られちゃう」

死神の上って誰だろう……死神課長とか死神部長がいるんだろうか。

「わかりました。では二次会は諦めます。披露宴が終わったら、サインをさせてください。そのあと、眠ればいいんですよね？」

「え、でも、眠る時間も場所もないんじゃ……」

結婚式当日に昼寝をするというわけにもいかないだろう。俺がそう聞くと、高橋さんは「二次会に移動する車の中なら可能かな」と言った。車の中……たぶん、タクシーで移動するんだろうけど、ドライバーもさぞびっくりするだろうな……などと考えていると、余見が「ところで、梶くん」と俺を呼んだ。

「きみ、車の運転できる？」

相変わらず顔だけはきれいな死神に尋ねられ――俺はブンブンブンと、激しく首を横に振った。

驚いたことに、俺は普通自動車運転免許を所持していた。

誰が驚いたかって、俺自身が一番驚いた。免許証を手にした時は、いいのか、俺に免許なんか渡しちゃって本当にいいのか、と行政の判断を疑った。

座学はともかく、実技はひどい有様だったからだ。

運動神経も反射神経も悪い上に、コミュニケーション能力が恐ろしく低い俺は、教官がとなりに座っているだけで死ぬほど緊張し、車の運転どころではなくなってしまう。シートベルトを締めるだけでパニックに近くなり、座席の位置調節では「おい、椅子《いす》が壊れる」と叱られるほどガタガタさせた。

だが、救いの手はあった。

もう定年も近そうなベテラン教官がひとりいて、その人だけは、俺を怒鳴ったり、舌打ちしたり、溜息をついたり嫌味を言ったりしなかった。

——梶さんねェー、緊張してますねェー、でも緊張しててていいんですよォー、だって車は便利だけど、簡単に人を殺せる乗り物だからねェー、だから緊張してて当然ですなァー、むしろワタシ思うんですよねェー、みんな緊張感を早くなくしすぎィー、だからその緊張を大事にしてねェー、ちょっとずつ慣れていきましょうねェー。

と、やたら語尾の伸びる教官だったのだが、この人のおかげで、俺はなんとか免許を取ることができたのだ。

ひきこもりのくせに免許なんか取ってどうするんだという声が聞こえてきそうだが、当時は俺だって、自分がここまでひきこもるとは思っていなかったのだ。マンガ家になれたら、取材に出かけるときに車があれば便利だろう……そういう夢や希望もあったわけである。

そんなわけで免許は持っている。ピカピカのゴールドを持っている。

が、運転はできない。

できるわけがない。俺は完璧《かんぺき》なるペーパードライバーであって、実際に運転した回数など、本当に数える程度だ。少なくとも、この十年はまったく運転していない。だからこそのゴールド免許である。もはや、ブレーキどっちだっけ？　の世界だ。

……そう言ったのに。

何度も余見に、言ったのに。必死に説明したのに。俺の運転する車に乗るなんて、命知らずの行為だと訴えたのに……。

「へーきへーき。乗ってる人間の半分は、もう生きてないんだし」

余見は、いつもの軽薄さで笑う。俺の懸念《けねん》などどこ吹く風である。

そりゃ高橋さんは動く死体だし、余見だって死神だからいいだろうけど、俺と花嫁は生きてるじゃないか。万一事故ったらどうするんだ。いや、万一どころじゃない。わりと事故る確率高いぞ。百一くらいな気がするぞ。

そう言い返すと「じゃ、保険入っとく？」などとふざけたことをぬかす。

「そもそも、なんで俺なんだ。あんたが運転すればいいじゃないか」

「僕、免許持ってないもの」

「死神のくせに、免許もないのか」

なにがどう『死神のくせに』なのかはよくわからないまま口走ると、余見は口を尖《とが》らせ「持っていないというか、持っちゃいけないの。決まりなの」と言い訳をする。

「以前、運転してた死神が事故に遭って、問題になっちゃって。自動車事故って、予測つかないからねー」

「……事故った死神はどうなったんだ？」

「救急車で搬送されかかって、途中でなんとか逃げたって。検査とかされたら、いろいろ面倒なことになるんだよ」

「死神って、死ぬのか？」

「死なないよ。この世界では」

「世界はここにしかないだろ」

「ヒュー・エベレットはそう考えてないけどね」

誰だよそれ、と聞こうとしたとき、リンゴーンと鐘が鳴った。

結婚式当日である。

俺と高橋さんは、明け方までかかって、プチギフト作りに励んだ。なんとか無事に間にあったわけだが、ふたりとも一睡もしていない。余見もそうだが、そもそも死神は寝ないらしい。

リンゴンリンゴンと、鐘は続く。

が、今鳴ってるのは高橋さんたちの鐘ではない。

午前の部の式はとうに終わり、午後のカップルが愛の鐘を鳴らしているのだ。俺は心の中でリア充を恨むのも忘れ、運転方法を必死にシミュレーションしていた。一応、会場の駐車場で少し練習はしたけれど……ほんとヤバイ。マジヤバイ。緊張のあまり、指先がかじかんできてしまった。

「梶くん、顔が怖い。普通にしてても死神顔なのに、見られたもんじゃないよ」

「し、死神顔で悪かったな！」

「しかも運転手の制服、似合わないし……」

「あんたが持ってきたんだろうがっ」

「そうだけど、ここまで似合わないとは思ってなかった。そういうお仕着せって、誰が着てもある程度サマになるもんなんだけど……いやー、きみは規格外だったねえ」

うるさいっての。一方で、余見ときたら白いスーツに白いネクタイと、ゲストというより新郎みたいな恰好《かっこう》だ。

結婚式日和《びより》のホテルなんだから、これくらいの恰好が馴染《なじ》むんだよ、と本人は言っていたが、馴染むどころか目立ちまくりだ。通りすぎる人たち、中でも女性客はみなチラチラと余見を盗み見ている。

俺たちはいま、ホテルロビーの一角で高橋さんたち新郎新婦を待っている。

「死神なのに白が似合うなんてヘンなやつ」

「なに言ってるの。死装束といえば白じゃないか。女性の喪服だって、もともとは真っ白な着物だったんだよ。婚礼衣装を仕立て直して着てたんだ」

「……そうなのか？」

「無知だねえ。……ところで、これの続き読めないのかな」

余見が手にしているのは、高橋さんのｉＰａｄだ。待っているあいだ、そこにダウンロードされているマンガを熱心に、そして相変わらずの超高速で読んでいた。

「ちょうどいいところで終わってるんだよ。イマカレに冷たくされた主人公に、モトカレからの電話がかかってきて、すぐに切ろうと思ってるのに『おまえ、声がヘンだぞ。泣くのを我慢してるときの声だ』って言い当てられちゃって、キュウンッときちゃって、でも会ったらいけないって思って『もう、切るね』ってケータイをオフにして、夜の公園で唇を嚙《か》みしめていたら、後ろから『コラ。勝手に切んなよ』って声がして、振り返ったらモトカレが……！」

少女マンガ…………。高橋さん、マンガの守備範囲がかなり広い。俺がiPadを受け取って調べてみると、続巻は発売してはいるものの、電子化はまだだった。

「紙の本なら出てる」

「よし。買いに行こう」

「だめだよ。もうふたりが来るだろ。ちょっと遅れてるみたいだけど……友達と写真撮ったりしてんだろうな……」

「あっ、写真！」

余見がiPadから顔を上げ、やや声を張る。

「なに」

「写真は撮らないほうがいいって、伝えるの忘れてた」

「結婚式なのに無茶言うな。なんで撮っちゃだめなんだよ」

「いや、撮ってもいいんだけどね、どのみち全部ピンぼけになっちゃうんだよ。動く死者《クライアント》は写真によく写らないんだ。死んでから時間が経過すればするほど、ぼやけていく。心霊写真みたいになっちゃうんだよね～」

「それって、吸血鬼が鏡に映らないみたいなもん？」

「まてまた、梶くんの妄想には困ったものだ。吸血鬼なんて現実にはいないよ。狼男《おおかみおとこ》も、イエティも、ネッシーもいない」

「なのに死神はいるのか」

「うん」

晴れやかに笑って肯定され、俺は溜息をついた。

「死神の存在を知ったばっかりに……俺はこんなところで、運転しなきゃならない羽目に……あああ、また緊張してきた……」

拳《こぶし》を固める俺を見て、余見は「めんどくさい人だね、きみ」と吐息を零《こぼ》す。

「そんなに長い距離を運転するわけじゃないでしょ。さっき、僕がもう控え室で契約書にサインしてもらってから、そろそろ二十分。だいたいサインの三十分後には眠くなるから、梶くんが運転するのもせいぜい十分かそこらだよ」

「その十分が怖い」

「何度も言うけど、きみの顔のほうが怖い。……あ、来た来た、新郎新婦、うちひとり死人が来た」

ウェディングドレスの小夜さんと、ディレクターズスーツ姿の高橋さんが見える。

俺たちはもう、ふたりへの挨拶はすませている。もろろん死神とそのアシスタントではなく、式場から二次会への移動を担《にな》ってくれる知人として、だ。

「すみません、お待たせしてしまって」

花婿《はなむこ》メイクで、顔色の悪さを隠した高橋さんが言う。

小夜さんも「お待たせしました」と頭を下げた。本日の小夜さん、髪をアップにし、パンプスのヒールもあり、もはや二メートルに近い印象だ。ドレスのボリュームもなかなかで、ぶわっと膨らんだスカート部分に、高橋さんが半分隠れている。

「送っていただけるの、助かります。ほんとにありがとうございます」

どれほど怖いんだろうと覚悟して会ったのだが、少なくとも俺たちの前では明るくて礼儀正しい花嫁である。

「お疲れ様でした！　いやー、本当に、何度見ても大き……美しい花嫁ですね！　二次会でも、その大き……美しさにみんなが見とれることでしょう！　さあ、レストランに移動しましょうか」

仕切り屋の死神がふたりを導く。

幸福そうな新婚カップルは、腕を組んだまま歩きはじめた。ちなみに高橋さんの足首はがっちり固定してあるが、それでも少し不自由そうだ。

車寄せにあるのはピカピカに磨かれた、真っ白いワンボックスだった。席が広くないと、ドレス姿の花嫁は収まらないからである。どうやったのかはわからないが、余見が手配したのはそれなりの高級車で、こんなの擦《こす》って傷つけちゃったらどうしよう……と俺はますますガクブル気分だ。もしそうなっても、責任は余見にあるはずだよな？　でも死神って責任取れるんだろうか。やばくなったらさっさと消えたりしないだろうか。

ああああ、心配だ。

「さあ、おふたりは後ろの座席へ」

花嫁と花婿が、車に乗り込む。

「わっ」

花婿が、段差に躓《つまず》いた。すると、花嫁のほうが「やあね、しっかり」と苦笑して手を貸している。花婿は「ごめんごめん」と照れ笑いを浮かべた。

……仲いいな。リア充の中のリア充め。

そりゃそうだよな……結婚式当日なんだ。一番幸せな日だ。すべてが輝いて見えてるはずだ。そんな経験、俺はしたことないからよくわからないけど。

でも、あと少しで終わる。

幸福で満ちた時が終わる。

高橋さんはそれを承知だけど、小夜さんは知らない。花嫁は、なにも知らない。

「…………なあ」

助手席に乗り込もうとしている余見に、声をかけた。

「ん？　なに？　ほら、もう出発しないと」

「あのさ……。花嫁ってさ、べつにいなくていいんじゃないか？」

「は？」

「このままだと、花嫁の目の前で花婿が死ぬことになるじゃん」

「だから、なに？」

余見の口調がやや刺々《とげとげ》しくなった。今更面倒くさいことぬかすな、という顔で俺を睨む。美形に睨まれると、わりと怖い。

「つまり……高橋さんはもうサインしたんだろ。ならどっちにしろ、その、死ぬわけだからさ……」

「もう死んでるんだけどね！」

「でかい声出すなよ。……なら、べつにいいだろ。その現場に嫁さんいなくても」

「いなくてもいいけど、いてもいいでしょ」

死神は素っ気なく返す。

それは……そうなんだけど。たぶん今までの俺だったらそう考えると思うんだけど、でもなんか今日はいやなんだよ。どうしてかわからないけど、いやなんだ。

「可哀想《かわいそう》だろ」

「誰が」

「花嫁が」

余見の整った顔が歪《ゆが》む。言葉はなかったが、ちょううぜえ、という声が聞こえてきた気がした。そういう顔だった。

「なにその偽善的同情。気味が悪い。最近きみ、いい人ぶるねえ?」

「そんなんじゃねえよ」

「この二、三日でちょっと他人と交流したからって、いい気になってない? だいたい、きみは彼女の家族でも友人でもないじゃない。ぜんぜん親しい間柄じゃないでしょ? いまきみがここにいるのだって、たまたま僕の手伝いをしてるってだけで、そうでなきゃいつものようにアパートの汚い部屋にとじこもってただけじゃない。そんなきみが、なんで彼女を可哀想とか言えるわけ?」

「それは……」

俺は口籠《くちご》もった。ワンボックスの中から、ふたりが不思議そうな顔でこっちを見ている。なかなか出発しないから訝《いぶか》しんでいるのだろう。

「なんか、ちょっと、考えちゃったんだよっ」

声を抑えて、俺は言った。

「目の前で花婿に死なれた花嫁の気持ちを考えたら、なんかすげえ嫌な気分になったんだから、仕方ないだろ!」

「ほほう。他人の気持ちを想像してみたってわけ? ひきこもりのきみが、めでたい結婚式の花嫁の気持ちを?」

「………」

「想像したら、可哀想で胸が痛んだ？　結婚どころか恋愛すら、いやいや、隣の住人とろくな挨拶すらできないきみが？　そりゃすごいや。たいしたもんだ。うっわ、感動で涙が出そうだよ、僕」

「……もういい」

「はい？　なんだって？」

「わかったよ、もういいよっ！」

俺は踵《きびす》を返して、運転席のドアへと回った。

知ってるよ。

余見に言われるまでもない。

しょせん俺はオタでニートでひきこもりだ。ついでにコミュ障だ。幸せカップルの花嫁に同情するなんて、身の程知らずもいいところだ。ブンブンと蠅《はえ》のたかってる浮浪者が、着飾ったお嬢さんの前にある小石を気にするようなもんだ。彼女がそれに躓くんじゃないかって、そわそわしてる愚かな負け犬野郎。地面を這《は》いずっていって、その石を取ってやろうっていうのか。そんなことしても感謝されないし、どのみち彼女は転ぶってのに。

そうだよ。

俺がなにをしようと、高橋さんが死ぬという事実は変わらないじゃないか。

誰かのために自分が悲しんだら、その誰かの悲しみは減るのか？　そういうもんでもないだろ。誰かのために祈ったら、その誰かが助かるのか？　違うよな。結局、祈りたいから祈ってるだけなんだ。自分が不安だからそうしてるだけ。誰かのために泣いてスッキリするのは誰だ？　泣いた奴《やつ》だろ？

無力なんだよ。

人は、少なくとも俺は、無力だ。負け犬だ。なにもできないくせに、善人ぶった同情心を見せるなんて、死ぬほど恥ずかしいことだ。余見の言うとおりなんだ。

その苛立《いらだ》ちを抱えたまま、運転席に座った。

　その苛立ちの影響なのか、運転への不安は和らいでいる。どうにでもなれという気持ちで車を発進させた。

　少しガクンときたけれど、ワンボックスは走り出す。日曜の一般道はやや混雑していた。スピードは出せないが、そのほうが俺にはありがたい。

「……いい天気だね」

高橋さんの、小さな声が聞こえた。

冬の好天に恵まれて、明るい光が車中にも差し込んでいる。運転している俺には少し眩《まぶ》しいくらいだ。

「ちょっと疲れたなぁ」

花嫁が言う。ドレス姿だというのに、ぐうん、と大胆な伸びをした。ワンボックスの後部座席に白いドレスがワサワサと波のように広がっていた。

「お父さん、あんなに泣くなんてびっくりしちゃった。花束贈呈の時」

「そうだね。とても嬉《うれ》しかったんだよ」

「お母さんはそれ見てすごいウケてたね〜」

「うん、楽しそうだった。お母さん、ほんとに小夜さんに似てるからなあ。よく笑って、よく怒って、よく泣いて……」

「逆でしょ。あたしがお母さんに似てるんだってば」

「あ、そうか」

「あと、よく怒るってなに。そんな怒らないでしょ」

「うーん？」

「もー、やめてよー。あたしすごい怖い人みたいじゃない」

　そう言いつつ、すでにプリプリしている花嫁である。高橋さんは「小夜さんはちょっぴり怒りっぽいけど」と穏やかに語った。

「でも、ちゃんと人を許すこともできるから。そこが僕は、すごいと思う」

「やだ、どうしたの」

「そういうところが尊敬できます」

「ちょっと、高橋くん、やめてよもう」

　花嫁の顔は見えないが、照れている様子は伝わってきた。俺たちに聞かれているのを気にしているのだろう。

「小夜さんと結婚できてよかった」

　きっぱりと、高橋さんは言った。

　きちんと言葉にしておこうという気持ちが、運転席にまで届く。俺は肩に力を入れてステアリングを握ったまま、ちらりと隣を確認する。パチン、パチン……余見は退屈そうな顔で懐中時計のフタを開け閉めしていた。

　たぶん、その瞬間はそう遠くない。

「やめてってば〜。どうしちゃったのよ、もう」

「ありがとう。すごく幸せだ」

「恥ずかしいってば！」

「小夜さんも幸せになって」

「幸せにしてくれるのは高橋くんじゃないのぉ？　もー、へんなことばっかり言い出して、いったいどう……」

　バックミラーに、ゆらりと傾《かし》ぐ高橋さんの身体が映った。

「高橋くん？」

その姿はすぐにミラーから消える。

「ちょっと。高橋くん？」

小夜さんの、不思議そうな声が聞こえる。自分の膝《ひざ》の上に倒れてきた新郎に向かって
「なにふざけてるの？」と笑いながら聞いた。

「ほら、起きてよ。ドレス汚さないでよね」

返事はない。

「高橋くん」

花嫁は繰り返す。

「高橋くん……高橋くん？　ねえ、やめて。高橋くん。なにしてるの、ねえ。ねえ、起きて。起きてってば。怒るよ？」

次第に、小夜さんの声は大きくなっていく。

隣の余見が後ろを窺《うかが》いもせず、スマホを取り出した。１１９番をタップしながら、俺に「路肩に止めて」と言う。

「………起きてよ！」

花嫁の声が震えていた。俺は車を路肩に寄せて停車し、サイドブレーキを引く。

怖くて、後ろを向けなかった。

小夜さんはずっと高橋さんを呼んでる。

その声がもはや怒ったようになり、なんで、なに寝てるの、どうしちゃったの、と花婿を揺さぶって叫ぶ。ちらりとミラーに映った横顔は、こめかみに血管が浮き立つ形相だった。

「大丈夫ですよ、いま救急車呼びましたからね。すぐ来てくれます」

パニックに陥っている小夜さんに声を掛け、余見はドアをスライドさせて車から降りた。手招きされたので、俺も運転席から離れる。

歩道で待っていた余見は「行くよ」と顎《あご》をしゃくる。

「行くって……？」

「もうここに用はない」

「……小夜さんを置き去りにすんのか？」

「すぐに救急車が来るよ」

「そういうことじゃないだろ？　花婿が急に倒れたんだぞ？」

「あのさあ、梶くん。救急車が到着したら、僕らも事情を聞かれちゃうじゃないか。死神の活動はおおっぴらにできないんだから、それはまずいの。それに、なにも問題は起きてない。予想どおりの、スムーズな展開だ」

「だけど……」

後部座席のドアが開いた。

下りてきた花嫁を見て、俺はぎょっとした。俺だけではなく、余見もさすがに驚いた顔を見せている。

「どうしよう」

小夜さんが呟《つぶや》く。

彼女は、高橋さんを抱えていた。

大きな花嫁が、脱力した花婿をしっかりと抱いて歩道を踏みしめていた。

それは異様な光景だった。花嫁が笑い、花婿も微笑んでいれば、ちょっと面白い演出のひとつだろう。だが花婿はぐったりと完全に脱力し、花嫁は呆然《ぼうぜん》自失の表情なのだ。

周囲の歩行者たちが、なにごとかとチラチラこっちを見ている。

「どうしよう」

彼女は繰り返した。掠《かす》れた声で。

「どうしよう。息を……してないの」

ずるり、と高橋さんの腕がぶら下がる。

その弾みで、ポケットからブートニアが落ちた。ピンクと白の花が路上に散る。

俺は、嬉しそうに自分たちの出会いについて語っていた高橋さんの、やや気弱そうな笑顔を思い出した。彼が慎重に、そして丁寧に紡《つむ》ぐ言葉を思い出した。

明け方、高橋さんは小夜さんに手紙を書いていた。

自分がいなくなったあと、少しでも早く彼女が立ち直れるようにと、思いを込めて綴《つづ》っていた。

……なんでなんだ？

なんでこの人が死ななきゃいけない？

死は平等だ、なんていうけど、それって本当なのか。そりゃあ誰でもいつかは死ぬだろうけど、死がどう訪れるかは千差万別だ。人生の収支は最期《さいご》はトントンになる、なんて話も聞く。最終的に幸福と不幸は同量だ、みたいな。それも疑わしい。結婚式当日に死ぬ奴。子供と孫に囲まれて死ぬじいさん。結婚どころか、恋人すらできないままに死ぬ奴だっているはずだ。それが平等か？　トントンか？

腹が立ってたまらない。

同情とか、悲しみとかじゃない。俺は怒っていた。なにに対して怒っているのか自分でもわからないけれど、握り込んだ拳が震えるくらいに怒っていた。

救急車のサイレンが聞こえてくる。

俺は言葉を探していた。なにか、小夜さんにかける言葉はないかと。でも、なにも思い浮かばない。大丈夫ですよ、なんて言えるはずがない。大丈夫じゃないことを、俺はよく知っているからだ。

高橋さんは死んでいる。

実はとっくに死んでいたんだけれど、でもやっぱり、今死んだとも言える。

花嫁の腕の中で。

「行くよ」

余見が俺の腕を引っ張る。

足を踏ん張ったが、優男のくせに余見の力は強い。引きずられるように歩き出す。

俺は余見に引っ張られながら振り返った。花婿を抱き締めたまま、その場に頽《くずお》れる小夜さんが見えた。ドレスのフリルが、溢《あふ》れるようにアスファルトに広がる。唸《うな》るような声が聞こえてくる。

嗚咽《おえつ》は、すぐ号泣に変わった。

4

ネットニュースは、俺に教えてくれる。

昨日、交通事故がありました。今朝、殺人事件がありました。豪雨による影響で死者と行方不明者が出ています。シリア内戦の死者は、19万人を超えました。

毎日人が死んでいる。

報道されるのは、一部の特別な死だけだ。それだけでもかなりある。あっちでもこっちでも死んでて、国によっちゃ人間が殺しあってて、そんなのを日々ぼんやり眺めてると、そのうちなんにも感じなくなってくる。だからなんだという気持ちになってくる。俺の知らない奴《やつ》が、俺の知らないところで死んだ。それだけのことだ。生まれてきたんだから、いつか死ぬのは当たり前だ。いちいち騒ぐことじゃない。俺なんか、生きてるのに死んでるみたいな生活だ。一日のほとんどをこの部屋に閉《と》じ籠《こ》もって、誰とも口をきかない日も珍しくなくて、なにも生み出さないまま時がすぎていき、どこで誰がなにをしていようと、俺にはまったく関係ない。

他者の痛みは、あくまで他者のものだった。

遠い国で銃弾に倒れる人のことより、自分の指にできたささくれを気にする。俺はそういう奴だった。『関係ない』という言葉ですべてシャットアウトしてきた。

なのに、なぜだろう。

小夜さんの顔が忘れられない。

高橋さんを抱いたまま「息をしてない」と言っていた顔が、忘れられない。

友菜ちゃんの腕に抱えられたまま、崩れていった齋藤さんが忘れられない。【崩壊】の直前、家族のため必死に残した言葉と、その声が忘れられない。

あれが死だ。

死ぬということだ。

死というのは、もっと個人的なものかと思っていた。個体としての生命が、終わりを迎えること。どんな生き物だって、その現象は同じだ。イヌもサルもトカゲも死ぬ。

でも人間の場合、他の動物と違う点がある。

死は個体の終焉《しゅうえん》であると同時に、他者との関わりの断絶なのだ。高橋さんが死んだということは、同時に、小夜さんが高橋さんを失ったということでもある。動物にそういう概念はない。だから、知能が高くても、サルは墓を作りはしない。

「……やっぱり、他に方法があったんじゃないか」

床を見つめるように俯《うつむ》いて、俺は言った。

「あんなふうに死なれたら……彼女、高橋さんを忘れられないだろうし……あれ、でも、もしかしたら高橋さんはそれを望んだのかな……自分のことをずっと忘れないでほしくて、ああいう死に方を……いや、そこまで考えてはいないか……単に、嫁さんの腕の中で死にたかったとか……」

「ぶつぶつうるさいなあ」

余見がくるりと振り返って俺を睨《にら》む。

「僕、今忙しいんだから邪魔しないでよ。どれが面白いのか、ビビッとくるのを探してるんだからさ」

コミックの棚の前、余見はこれ以上ないというほど真剣な顔で言った。

大きな書店に連れて行けといわれ、都内屈指の品揃《しなぞろ》えといわれる店までやってきたのだ。こっちはまだ陰鬱《いんうつ》な気分を引きずっているというのに、死神はマンガ選びに夢中である。俺の後ろを通った学生っぽい二人組が「あんなコスプレあったっけ？」と囁《ささや》きあっていた。なるほど、余見の白スーツはいっそコスプレだと思えばいいのか……。

「人間が死ぬことより、マンガが大切なのかよ」

「そうだよ。だって人が死ぬのは自然の摂理なんだから。みなさんは生きてるつもりかもしれないけどね、要するに、だんだん死んでるだけだから」

「……それ、ある意味、中二病っぽい台詞《せりふ》だぞ」

「人間が言えばそうだけど、僕は死神だからいいんだよ」

「中二病、知ってるのか」

「きみの部屋にあったマンガに出てきた言葉だ。僕の認識だと、きみも罹患《りかん》している」

「……治りにくい病気なんだよ」

もしかしたら不治の病かもしれない、と俺はちょっと思っている。

「とにかく、死についていろいろ考えたってしょうがないでしょ。いつかはその瞬間がくるけど、そのことばかり気にしてたら人生が楽しくないじゃない。……あ、梶くんの場合、フッーにしてても人生は楽しくないか」

余計なお世話だと思いつつ、反論できなかった。確かに俺は、人生を楽しいと思ったことなんか、ほとんどない。

「高橋さんはさー、ある意味、一番幸せな時に死ねたわけだもんねえ。愛する彼女との結婚式を終えてから逝《い》くことができた。でもきみは、嫁さんどころか、彼女も女友達もいない。男の友達もいないよねえ？　ネットの世界に多少いるくらい？　家族とは疎遠《そえん》で、仕事もなくて、唯一《ゆいいつ》の夢だったマンガも描いてなくて、最近はもっぱら美少女ゲームで時間を潰《つぶ》し……ああ、なんだか言ってる僕の胸が痛くなってきたよ……きみの人生って本当に……」

余見は、棚に並んでいるコミックの背表紙を、人差し指でツッツと撫《な》でながら「せつないねえ」と、芝居じみた声を出した。

「そんなきみでも死について考えちゃったりするわけか。ってことはあれかな。やっぱり死ぬのは怖いわけ？」

「怖くはない」

「ほんとに？」

「死ぬのが怖いのは、生きてて楽しい連中だろ」

「それは『楽しいことが終わるのが怖い』のであって、死が怖いのとはまた別だよ」

「俺は……死ぬのはべつに怖くないよ。ただ、死ぬ時に痛かったり苦しかったりするのはイヤだけど」

「それもまた別。生きてたって、痛いのや苦しいのはイヤでしょ」

言われてみると、確かにそうだ。では、なぜ人は一般的に死を恐れるのだろうか。いや、俺は平気だけど。ただ、不気味というか……得体が知れないっていうか……死んだあとのことはちょっと考えてしまう。俺がいなくなったこの世の中についてではなく、死んだ俺がその後どうなるのか、のほうだ。

俺は死んだら、どこへ行くのだろうか。

「なあ、人間は死んだらどうなるんだ？」

「前にも言ったけど、ネタバレ禁止なんだよ。……あ、これどうかなあ。『恋したあの子は地底人♡　問題は美白だけではない、紫外線から彼女を守るためには、人類を敵に回したとしても、太陽を消滅させないと……！』だって。いやいや、敵に回すっていうか、人類絶滅するでしょ。アハハハハ……これ、面白いと思う？」

「知らん。つか、全37巻だぞ。あんたんちマンガだらけになるぞ」

「大丈夫。梶くんの部屋に置くから」

「なんで!?」

「なんでって。僕、一度しか読まないから、読み終わったら邪魔でしょ」

「いやいやいや、だからって俺んちに置かれても！」

「大丈夫、すぐ気にならなくなる」

「ならねーよっ。あのさ、保管しておく気がないなら電子版にすれば？　タブレット買えばいいじゃん」

　おお、と余見が小さく手を叩《たた》く。

「それはいい考えだ。さすがにスマホじゃ読みにくいし。さっそく買いに行くから、梶くんはもう帰っていいよ。二日間お疲れ様。たいして役には立ってないけど、一応言っておいてあげる」

「……そりゃどうも」

じゃあね、と余見は軽やかに立ち去る。

白いスーツの派手男の背中をぼんやりと見送りながら、俺は途方もない倦怠感《けんたいかん》を味わっていた。なんだろう、この疲れ方……もっとも、考えてみればこの二日ろくに寝ておらず、おまけにほとんど食べていない。ぐったりするのも当然だ。

帰ろう。

帰って、寝よう。

アパートに戻る前に、例のコンビニに立ち寄る。

くたくたに疲れているのだが、寝る前になにか食べておくべきだろう。食欲は戻っていないので、消化のいいものを選ばないと……なにを食うべきか。菓子パンの棚の前で俺は考える。このままじゃますます瘦《や》せて死んじまう……。

——そんなきみでも死について考えちゃったりするわけか。

あの死神野郎ずいぶん失礼なことを言ってたな。

——きみは、嫁さんどころか、彼女も女友達もいない。男の友達もいないよねえ？ネットの世界に多少いるくらい？　家族とは疎遠で、仕事もなくて、唯一の夢だったマンガも描いてなくて……。

全部正しいから、言い返しようもなかったけど。

俺だって、ときどき感心するよ。こんな人生でよく生きてるよな、って。

誰とも目を合わせない人生。

誰にも尊重されない人生。

マンガ家になる夢？　俺がマンガ家なんて、根性と忍耐の必要な職に就けるもんか。本当はわかってる。自分が一番よく知ってる。仕事がないのが問題なんじゃない。やる気がないのが問題なんだ。俺はつくづくダメな男だ。いい歳《とし》して挨拶《あいさつ》のひとつもできなくて、子供にキショイと言われるような存在だ。

けど、しょうがないじゃないか。

生きてて楽しくはないけど、だからって死ぬ理由もないんだから。

そういう人間だって、いるだろ。『生きている理由』を持ってる奴なんて、実はたいして多くないんじゃないのか？　心から人生を謳歌《おうか》している人が、やたらめったらいてたまるもんか。そりゃ中には人生が楽しくてたまらない奴だっているだろうけど、全員じゃない。

だらだらと、抑揚もなく、つまらない日々を生きているだけ。

そんな連中だってそれなりにいるはずだ。そこの雑誌コーナーで、周囲を気にしながらエロ本選んでるデブだとか、よれよれのスーツとコートでビールと弁当買ってるハゲ親父《おやじ》とか、レジでその弁当温めてる死んだ魚みたいな目をしたバイトの兄ちゃんだとか……みんな、そんなもんだろ？

「……りがとう、ざぁいましたぁ」

やる気のない挨拶に送られて、俺はコンビニを出る。買ったのは、菓子パンとおにぎり、それからゼリー飲料がふたつだった。

陽はとっくに落ちて、空には星が結構見える。

東京でも、冬の夜空はときどき綺麗《きれい》だ。星は綺麗だが、俺の部屋は汚い。それがわかっていても、今は早く帰りたかった。泥のように疲れた身体《からだ》を休めたい。もしかして余見の奴、俺の生気を吸い取ったりしてるんじゃないか。……いや、ないか。奴が口をひん曲げて『梶くんの生気なんか、お金もらっても吸い取りませんよ』というのが聞こえて来そうだ。

アパートの外階段を上る。

カンカンカンとアルミを踏む音に、ガサガサとコンビニ袋の音が重なる。それがやけに大きく聞こえる。あのテンションの高い、おしゃべりな死神から解放されたのもあるだろう。なんだか、世界はやたらと静かだった。

……なんか、いる。

階段を上り終えた場所で、俺は立ち止まる。

なんかいる。暗がりの中、俺の部屋の近くに、小さいものがいる。小さいと言っても、犬や猫よりは大きい。たとえば、人間の子供が丸く蹲《うずくま》っていたらあれくらい……。

「わっ」

にゅっ、とそれから首が生えた。

実際は生えたんじゃなくて、顔を上げたのだ。やっぱり人間の子供だ。隣の、あの可《か》愛《わい》くないガキじゃないか？　暗がりになれてきた目が、子供の顔を視認する。間違いない。俺に向かって「キショイ」と連呼した奴だ。青っぽいジャンパーを着て、爪先《つまさき》の汚れた運動靴を履き、洟《はな》を啜《すす》っていた。

俺たちは睨み合った。

縄張りを争う野良《のら》猫が出くわしたみたいに睨み合った。

三十にもなろうというのに、幼児と睨み合う男。それが俺なんだから仕方ない。念のため言っておくが、べつに敵意はない。ただ警戒しているのだ。子供ってのは、場合によっては大人よりいやな相手だからだ。奴らは、次になにをするかまったく予想がつかない。俺は以前公園のベンチでぼんやり座っていたら、三人の子供から砂場の砂を投げられた経験がある。たぶん五、六歳くらいの子たちだ。俺が立ち上がるとギャーギャー騒いで母親のところに走って逃げる。子供相手で厄介なのは、こっちがやり返すことができないところだ。下手したら、怒鳴っただけで通報される。しかもあいつらは、それを承知でやっている節がある。悪魔め。かくも子供は厄介だ。

俺は隣のガキから目を離さないようにして、じりじりと自分の部屋に近づいていった。

ドアの前に立つと、子供は俺を見上げる形になる。ギラついた目で、穴が空くほどに見られていて不気味だ。こいつ、こんなとこでなにしてんだ。感じの悪い母親はどうしたんだ。仕事で遅くなってるのか。育児放棄ってやつか。虐待《ぎゃくたい》か。いずれにしても俺には関係ない。俺は孤独を愛する男なんだから、関わりはない。早く鍵《かぎ》を開けて部屋に入ろう。あれ、鍵どこだっけ。どっちのポケットだったっけ……だから、そんな見るなよ、気持ち悪い。

「な、なにしてんの」

沈黙に耐えかねて、俺は一応聞いてみた。幼児に声をかけるだけで、声が上擦る自分が情けない。子供は返事をしなかった。俺の顔を見て、ほわほわした眉《まゆ》毛《げ》をギュッと寄せただけだ。

「へ、部屋、入れないのか」

重ねて聞くも、無反応だ。俺は周囲を確認してから、試しに隣のドアノブを捻《ひね》った。開いてる。つまり、鍵がかかってて部屋に入れなくて困っている、という状況ではないらしい。

「……お母さんは」

この質問には「おしごとっ」と素早い返事があった。さらに、

「おかあさん、おしごとだから、おるすばんしないとだめでしょ？」

と、むしろ俺が聞かれてしまう。「え、あ、うん。そうだな」と答えるしかない。お留守番なのはわかったけど、なんで外で待ってるんだ？　すると、子供はまるで俺の疑問を察知したかのように、

「ここにいたら、すぐわかるでしょ。おかあさん帰ってきたら、わかるでしょ」

と補足説明する。まあ、そうだな。中にいるよりは、すぐにわかるな。でもそんなのせいぜい数十秒の差だろ。やっぱり中で待ってりゃいいじゃん……とまで考えた時、階段を上がる音が聞こえてきた。子供の母親か、と一瞬身構えた俺だが、現れたのは見慣れた制服の男だ。段ボール箱を抱えた彼は、俺を見つけて「あ、梶さん」と軽く帽子の庇《ひさし》に触れる。

「ちょうどよかった。これ、不在票のぶんです」

留守にしていたあいだ、注文しておいたゲームソフトが届いたらしい。不在票は部屋の中側に落ちているのだろう。シマシマ制服の配送業者と話すだけでも緊張する俺だが、半ひきこもりで生きていく場合、この人たちは必要物資を調達してくれる生命線だ。慣れるしかないのである。彼は蹲っている子供にも気がつき、「おっ、ヨウちゃん」と声をかけた。そんな名前の子供らしい。

「なにしてんだ？　ママまだなのか？」

「ん」

「へえ、今日は遅いんだなあ」

配送業者くんの言葉から察するに、子供の母親はいつもならとっくに帰っている頃なのだろう。なんらかの事情で遅くなっていて、不安に思った子供が、外に座り込んで待っている……という状況らしい。

「えらいな、ヨウちゃん。けど、そんなとこにいると、風邪ひくぞ？　部屋の中でママを待ってたほうがいいぞ」

俺よりあきらかに若いであろう配送業者くんは、子供に優しく言い聞かせつつ「ここにサインお願いします」と、俺にボールペンを渡す。俺はボールペンを受け取り、コンビニ袋を下に置き、段ボールの上に置かれた伝票にサインする。

「ありがとうございました！」

配送業者くんはさわやかに帰っていき、ほぼ同時に、隣のドアが閉まる音がした。見れば子供は消えている。部屋の中で母親を待つことにしたらしい。なんだよ、隣人はキショ呼ばわりするくせに、配送業者くんの言うことは聞くのか。いいけどさ、べつに。

俺も荷物を抱えて部屋に入る。

届いたのは美少女ゲームだ。ご贔屓《ひいき》メーカーの新作なので心が躍《おど》る。よし、なんか食べて、ひと眠りして、気力が充実したら一気にプレイしよう。義理の妹ルートが神らしいから、それは最後にとっておくべきか。そこが難しい問題だ。

とりあえず、メロンパン食べながら熟考しよう。

と、思った俺だったのだが。

「……あれ？」

ない。

買ったはずのメロンパンがない。壊れたこたつのテーブルの上に、コンビニ袋のものを全部出す。やっぱりない。メロンパン、消失。もしや玄関で靴を脱ぐときにでも落としたのだろうかと見てみたが、その周辺にもなかった。

しばし考えて、俺は思い出す。

伝票にサインしてたとき、なんか音がしてなかったか？　ガサッていってなかったか？　あれだ。あれだよ。あのとき、隣のガキに盗《と》られたんだ、俺のメロンパン。

あの泥棒猫め。

俺は一瞬、取り返しに行こうかと考えて、すぐにその案を却下した。たかだか菓子パン一個で乗り込んで、そこに母親が帰ってきたりしたらそれこそ面倒だ。こっちが犯罪者扱いされかねない。母親の帰りが遅くて、腹を減らしていたんだろう。かつ、あいつもコンビニのメロンパンが好きなんだろう。メロンパン一個くらいくれてやる。

俺はタラコおにぎりをしばらく眺めていたが、結局ゼリー飲料を選んだ。なんなんだろう、この胃が重たい感じ……潰瘍《かいよう》でもできてしまったか。

俺って繊細だから、あり得る。死神のアシスタント業務は、俺にとってかなりのストレスだったのだ。きっと胃壁がボロボロなんだ。病院に行くべきか。保険証、どこにやったっけ。でも医者と喋《しゃべ》るのいやなんだよな。あいつら「お仕事は？」とか聞きやがるから、うざいんだよな……。

「………むぅ」

ゼリー飲料を持ったまま、身体が前のめりに傾く。

眠い。

尋常じゃなく、眠い。

俺はかろうじて立ち上がり、ベッドに倒れ込んだ。端っこに置いてあったマンガ本がドサドサ落ちたが、それを気にする余力すらない。ドラマなんかでよくある、睡眠薬を盛られた奴みたい……なんて、どうでもいいことが頭をよぎり、次の瞬間には眠りの淵《ふち》に引きずり込まれていた。

九時前に寝て、七時すぎに目覚めた。

つまりたっぷり十時間睡眠は取っているはずなのだが、起き上がった俺の身体は重くて怠《だる》い。風邪でもひいたかなと額に触ってみたが、至って平熱だ。喉《のど》も痛くないし、くしゃみや咳《せき》もない。ただ、関節がなんとなく動かしにくい。痛くはないのだが、こう、ギシギシして、油が足りない感じなのだ。運動不足、と言われればそうだが、俺の運動不足はずっと昔からだ。

ベッドに腰掛け、息をつく。

なんだか、長い夢を見ていたような気分だった。

頭の中がぼんやりしていて、指先の感覚が鈍い。

首をゆっくり回す。ポキリと乾いた音がする。

うん。そうか……そうだよな。

夢だったんだ。

やたら顔のいい死神。死んでるのに動く人間。スプラッタ映画みたいになったばあちゃん。それから花婿《はなむこ》と花嫁。死んだ花婿を抱える、生きてる花嫁……。

はは、あのラストシーンいいじゃん。

使える使える。ネタになる。花嫁はもっと小柄な美少女にして……あ、小柄だと花婿抱き上げられないか。なら魔法少女にすればいいんじゃないか？

ついでにおばあちゃんも美少女にして、エピソードはそのまま……待て待て、【崩壊】はやめとこう。あれはエグいし、内臓とか骸骨《がいこつ》とか、描くのも大変だ。なんかもっとラクそうなエピに変更しよう。いっそ、死神も美少女にしちゃえばいいんじゃないか？そのほうが読者ウケするよな。俺、かっこいい男描くの苦手だし。なんなら巨乳にして、いっそうの読者ウケを……。

「すんごい、つまんなそう」

「うわあ！」

驚きのあまり、俺は跳ねるように立ち上がってしまった。ベッドヘッドの後ろ側、俺から死角になっていた場所に立っていたのは、他でもないあいつだ。

余見だ。死神だ。

夢だけどー、夢じゃなかったー。

……なんて名作アニメの台詞をなぞってる場合じゃない。

俺の場合、これっぽっちも夢じゃなかったらしい。すべて現実だった。夢にしてはリアルだと思ってたんだよ……そうだよ……でも夢にしておきたかったんだよ、あまりにも突拍子なさすぎて……。

「梶くん、きみはつくづくすごい才能の持ち主だねえ。僕の提供したあれほど面白くて斬新《ざんしん》なネタすら、ありきたりでつまらない話にしちゃうんだから」

「い、い、いつのまに……」

「だいたい、なんでも美少女にすりゃいいってもんじゃないでしょ？　せっかく僕みたいに美形の死神が登場してるんだから、ちゃんとそのまま使えばいいじゃない。女性読者を摑《つか》めるじゃない。言っとくけど、いまや女性読者は無視できない存在だよ？　ちゃんと最近のヒット作品も読んで、そういうの勉強しないとさあ」

「不法侵入すんなよっ。いつ来たんだよ！」

俺が叫ぶと、余見はウルサイと言いたげに眉を寄せて「ついさっきだよ」と答えた。

今日は白ずくめの花婿スタイルではなくて、ピンストライプの黒スーツに、黒のロングコートに戻っている。

「昨日、タブレット買いに行ったんだけど、途中でインターネットカフェっていうの見つけて、なんかマンガもたくさんあるらしいから、入ってみたんだ」

そして、ひと晩かけて、店内のマンガをほぼ読み尽くしたという。こめかみを軽く揉《も》みながら「さすがに、ちょっと疲れた」と余見はぼやく。

「……あんた、それただのオタクだぞ」

「仕事上、日本人の生活や思考の特性を理解する必要があるんだよ。そのためにマンガはいいテキストになる」

「仕事で接するのが多いのは、じいさんばあさんだろ」

「だからちゃんと『のらくろ』と『フクちゃん』と『サザエさん』も読破した」

その三作を網羅してるネカフェってすげえな、と思う。

「そんなわけで梶くん、僕はコーヒーが飲みたい」

「勝手に飲めば」

「『ニルバーナ』に行こう」

「は？　なんで俺まで……。だいたい、俺はいつまであんたの仕事を手伝わなきゃいけないんだ？」

「うーん、たぶん、そんな長くはかからないと思う。ほら、顔くらい洗っておいで。いくら洗ってもブサイクはブサイクだけど、洗ってないブサイクと洗ってあるブサイクなら、後者のほうが救いがある」

ブサイクもそう連呼されると、怒る気も失《う》せてくる。

俺はのろのろと洗面所に入った。そういえば風呂《ふろ》にも入っていなかったと思い出し、シャワーを浴びようかなと考えたのだが、余見が「早く早く」と急《せ》かすので、洗顔と、ぐしゃぐしゃになった髪に手櫛《てぐし》を入れる程度しかできなかった。さすがに服は全部替え、不本意ながら、余見とともにアパートを出る。

コンビニの前を通って、『ニルバーナ』に向かう。

いつもの道。いつもの朝だ。

平日なので、通勤のために駅に向かう人々とすれ違う。主に女性の視線がしばらく余見に釘《くぎ》づけになっているのが、普段とは違う点だった。

「いいお天気だねえ！　今日は素敵なことが起きそうな予感がする！」

「……誰かが死ぬとか？」

「それは毎日どこかで起きているよ！」

爽《さわ》やかで物騒で、だが考えてみるともっともな台詞を吐き、余見は姿勢よくすたすたと歩く。

「それにしても、本当に面白いマンガがたくさんあった！」

「ふうん」

「あんなに名作が多いと、梶くんが『俺みたいに才能も根気もないヤツに、なにが描けるっていうんだよ』ってなっちゃうのも無理ないねえ」

「……………」

「『べつに俺がマンガ描かなくても、作家は山ほどいるじゃないか』とか」

「……………」

「『だいたい、三十でデビューとかもう遅いだろ、出遅れすぎだろ、もっと若くて巧《うま》いヤツがあんなにいるのに』とか」

「……………」

「『飛び抜けて絵が巧いわけでもないし、誰にも真似《まね》できない個性があるわけじゃないし、特別なジャンルに詳しいわけでもないし』とか」

「…………あんた、黙って歩けないのか？」

意識的にしまいこんでいるネガティブな真実をバシバシとぶつけられながら、ほどなく『ニルバーナ』に到着した。

いつものようにドアが軋《きし》み、いつものようにクールな声が「いらっしゃいませ」と迎えてくれる。奥の座席へと進む途中、

「ん？」

余見がふいに立ち止まった。後ろを歩いていた俺は、危うく死神の背中に頭をぶつけそうになる。身長差がかなりあるのだ。

「おい、なにして……」

「あっれー？　おかしいなあ。なんでだろう」

腕組みをして首を傾げる余見の横から顔を出し、俺は店の奥を覗《のぞ》く。こちらに顔を向けて座り、穏やかな顔でコーヒーを飲んでいるのは……あれは……。

「齋藤さん？」

「だよねー」

死神の契約書に署名したはずの、齋藤ばあちゃんだ。

「あんた、サインもらったんじゃなかったのか」

「もらった」

「なら、ここにいるのおかしいだろ」

「珍しく梶くんが正しいことを言った。ちょっと待って…………あ、あれ……あーそうかあ……」

余見がスマホを操作して、画像をひとつ呼び出す。例の契約書だ。スマホで管理してるのか……。ピンチアウトして画像を拡大し「ほら、たぶんこれ」と署名の部分を俺に見せる。

「齋藤さんの『齋』、難しい字じゃない？　ちょっと文字を崩しすぎて、認識されなかったんだと思う。署名は正確にしないとダメなんだよね」

「そういうもんなのか」

「ウチの上、わりと厳しいから。うわー、もう一回署名してもらわないといけないのか。しかも【崩壊】まであんまり時間ない。めんどいなあ……ということで、梶くん」

「え」

ぺらっ、と白いだけの紙を取り出す。おい、ちょっと、その紙いったいどこから出てきたんだ？　あんた手ぶらだったよな？

「きみ、サインもらってきて」

「なに言ってんだ。俺は死神じゃない」

「僕から委任されたなら問題ないよ。それに、きみもこの数日で学んできたんだから、ちゃんと説明できるでしょ」

「説明なら、もうしてるだろ？」

俺がこの店で、初めて余見を見つけた時だ。齋藤ばあちゃんは、こっちがびっくりするくらい素直に『あなたもう死んでます』という余見の話を受け入れていた。

「したけど、齋藤さんって、ちょっと記憶がおぼつかなくなってるんだよ。僕の言ったこと、結構忘れてると思う」

「ならもう一回すれば」

「僕、同じ人に同じ説明を繰り返すの、きらい」

「仕事なんだから、好き嫌いの問題じゃないだろ」

「仕事もしていないきみに言われたくないね」

憎まれ口を叩きつつ、余見は白紙を差しだして「とにかく、任せたから」と強引だ。

俺はそれを受け取らないように、半歩後退して「いやだって」と拒絶した。

「頼むよ。僕はゆっくりコーヒーを飲みたいんだよ……。そうだ、ちゃんと署名取れたら、僕から素敵なプレゼントをあげるからさ」

「死神から素敵なものがもらえるとは思えない」

「疑り深いと幸せになれないよ？　とにかくサインもらってきて。……じゃないときみの部屋にあったネタ帳の中の、『なんの取り柄もない引きこもりの少年が、ある日自分の額に異変を感じて、それは【邪眼】と書いて【ザ・サード・アイ】と読む特別な力を持った眼で、少年は時空の亀裂《きれつ》から侵入する魔物と戦うことになり、だがしかし時に【邪眼】の力が強すぎるのか、コントロールが効かなくなり、それを制御するためには【五人の聖少女】の協力、すなわち【接吻《せっぷん》】が必要で、第一の【聖少女】は火を司《つかさど》るサラマンダーの化身で、彼女との【接吻】は狂おしく燃えるような炎に包まれ……ってうところまで考えた、あの身悶《みもだ》えするようなネタのページを写メって、ツイッターで全世界に発信する」

「すみませんでした。やらせてください」

ほかにどう答えろというのだ。

ズイッと余見が見せたスマホには、しっかりと件《くだん》のページの写真が保存してあった。あんなものをバラまかれたら、その瞬間に舌を噛《か》んで死ぬしかない。ひったくるように白紙を受け取り、俺は覚悟を決める。

余見の「がんばってね～」とおちゃらけた声に見送られ、店の奥に進む。職務怠慢な死神を内心で恨みつつ、齋藤ばあちゃんのテーブルに近づいた。

声を掛ける前に、深呼吸をひとつする。

知らない人に話しかけるのは相変わらず苦手だけど、死神に引き回された数日が、俺を多少図太くさせていたようだ。わりと、話せるもんだなと思った。余見の存在が突拍子もなさすぎて、緊張するヒマすらなかった、ということなんだろう。なんだかんだで、いろんな人と話した。俺にとっての五年分くらい、他人と会話した。死人も含めて。

「あの、ちょっといいですか」

まあ、この齋藤ばあちゃんも死んでるんだけどね。

「はい、はい。どうぞ。おかけなさいな」

俺を見上げてにこやかに、自分の前の席を勧める。そんな顔されると『あなた死んでます』と言いにくいな……いや、でも、多少は覚えてるんじゃないか？　あんなに余見が死んでる死んでるって繰り返してたのは、つい一昨日《おととい》なんだし。

俺は齋藤ばあちゃんの前に座り、無口なマスターにコーヒーを頼んでから「ええと、俺は怪しい者ではなく……」と言いかけて、この台詞がすでに怪しいと気がつく。

いったいどう自己紹介すりゃいいんだ？

余見は保険の営業マンという肩書きがあるわけだけど、俺にはなんにもないぞ。オタでニートで半ひきこもりの梶と申します……とも言えない。

「あなた、お名前は？」

困ってもじもじしていたら、齋藤さんが先に聞いてくれた。

「あ。梶、です」

「梶さん。私は齋藤りんです。よろしくお願いします」

丁寧に頭を下げられて、俺もつられる。もうちょっとでテーブルにオデコがぶつかりそうな位置まで下げて、また戻す。

目が合う。

齋藤さんはやっぱりニコニコしている。

……なんなんだろう、この空気。

「あのですね。お、俺は……その、あそこに座っている男の知人でして」

優雅にコーヒーを飲んでいる余見を指さして切り出した。こうなったらありのままに伝えるしかない。下手な作り話より、さらに作り話っぽい現実なんだから、そのまま話すより手立てがないじゃないか。

「奴は死神なんですけど」

「まあ」

齋藤さんが小さな目を丸くする。初耳だわ、という顔だ。

これは……すっかり忘れてるっぽいな……。

「で、俺は奴に頼まれて、お伝えするわけなんですけど……実は齋藤さん、もう死んでるんだそうです」

俺の言葉に、齋藤さんはパチパチとふたつ瞬《まばた》きをした。年相応に皺《しわ》の多い顔だけど、ちゃんと眉毛も描いて口紅も塗ってある。

「あら。私ったら死んでいるの？」

「はい。ご愁傷様です」

「まあ」

………なんかこの会話、聞いたことあるような気がするなあ……。

「死神の説明によりますと、独りで眠るように死んだ場合、自分の死に気がつかないことがあるらしいんです。ほっとくと大変なことになるので……お知らせしようかと」

「自分のことって、自分ではわからなかったりするものねえ……」

「そうですね」

「私、死んでるのかしら……。だとしたら、牧師様のところに連絡しないと……。あ、でも私、息してるわ。ほら、ふぅぅ〜」

またしてもデジャブだ。俺は「それは、呼吸する癖《くせ》が残ってるせいらしいです」と説明した。

「癖？」

「はい。生きてるときに無意識にしていたことは、死んでからもしばらくはやれちゃうみたいで……」

「あら。すごいのねぇ」

すごいと言えばすごいし、コワイと言えばコワイと思う。

「ただ、なにしろもう死んでいるので、体温は低くしておかないと腐っちゃいます。だから身体はかなり冷たくなってるはずです」

「そうなの。でも自分の体温ってよくわからないわねえ……。自分で自分を触ってもピンとこないし……」

冷たい手で冷たいものを触ってもあんまり冷たく感じない、ということなんだろう。

「とにかく……このままだとまずいんです」

「どうまずいの？」

「死体のまま活動するのにも限界があって、限界を超えると【崩壊】します」

「ほうかい？」

「一気に腐って、崩れ落ちます」

齋藤さんは軽く身体を引き「怖いわ」と両手を胸の前で組んだ。

「そうならないように、神様にお願いしなくちゃね……」

「神様っていうか、死神サマがそうならないようにできます。この書類にサインするだけで、次に眠ったらそのまま目覚めません。痛みも苦しみもなく、穏やかに、ちゃんと死ねるそうです」

ちゃんと死ねるって変な言い回しだが、他に思いつかなかったのだ。齋藤さんは老眼鏡を掛けて書類を覗き込む。

「白紙ね」

「白紙ですけど、大丈夫ですから」

「……ね、これ見て。私のすまーとほん」

「え？　あ、はい」

この年齢でスマホ持ってる人って、珍しいんじゃないだろうか。使いこなせてるのかなあ。でも考えてみれば、直感的に触って使うスマホのほうが、高齢者向きと言えるのかもしれない。

「昨日はね、これで姪《めい》のアコちゃんと電話したの。テレビ電話みたいにできるのよ。便利ねえ」

「はあ」

「で、その時、アコちゃんに言われたの」

「はい。なんて？」

「最近は高齢者を狙《ねら》った詐欺《さぎ》が多いから、気をつけるようにって」

きりっ、と俺を見据えて齋藤ばあちゃんは言う。

「…………え？」

「気安く話しかけてくる人は、特に注意してって」

「……あ……はい……」

「よくわからない書類にサインとか、絶対しちゃだめよって」

「ごもっとも、です……」

あれ？　なんだこの展開？

今日の齋藤さん、すごくしっかりしてるぞ。前回の、赤子の手を捻るように扱えるご老人はどこ行っちゃったんだ？

「あなたね、梶さん」

「は、はい」

俺は姿勢を正して返事をした。

「いつもこのお店に、ひとりでモーニング食べに来ているわよね？」

「え。あ。はい」

知ってたのか。……まあ、そうか。俺だってなんとなくこのばあちゃんに見覚えあったもんな。

「暗い顔で、下ばかり向いて、世の中に楽しいことなんかひとつもないという顔してるわよねえ？」

「す、すみません……」

反射的に謝ってしまった。多少目覚めていたコミュ力がしゅるしゅると縮み、生きててスミマセンという気持ちがぶわりと膨らむ。

「べつに責めてるわけじゃないの。あなたにもきっと、つらいことがあったんでしょうね。でもそれに負けてはいけないわ。水はどうしても低い場所に流れがちだけれど、強い意志の力があれば、逆流することだって可能なはず」

いや、無理です。俺に逆流は無理です。川を遡《さかのぼ》る鮭《さけ》みたいな、そういう根性力高いキャラじゃないんです。

「ひとりで変わるのが難しいなら、頼ることも必要よ。そうだ、私と一緒に教会に行きましょう。神様はどんな人間でも受け入れてくださるから」

「いや……それは、その……」

「死神だなんて、おかしな妄想にとらわれていないで、ちゃんと現実と向き合わないと先には進めないわ」

神様はいいけど、死神はダメらしい。まあ、それはそうなんだろう。あんなのを神様の仲間にしちゃいけないもんな。が、かといって俺は神様に頼る気もいまのところはないのだ。だって、神様ってなんでも知ってるんだろ。俺のエロゲの好みとかも知ってるんだろ。あの恥ずかしいネタ帳もお見通しなんだろ。うわあ、無理。絶対無理。俺は、俺のすべてを理解している相手が一番怖い。

「その……怪しいと思うのはもっともですけど……齋藤さんが死んでるのは、ホントなんです。これに署名しないと、大変なことになるのもホントです」

俺は身体を前のめりにして、なんとか齋藤ばあちゃんを説得しようと試みる。

「……あなた、詐欺師には向いてないわ。おやめなさい」

「いやいや、詐欺師だったらもっと、本当っぽい嘘《うそ》つきますよ。こんな突拍子もない話にひっかかる人いないでしょ？　アナタ死んでます、みたいな」

「そうよ、いないのよ？」

「ホントに……ホントなんです……齋藤さん死んでるし、もうかなり時間経《た》ってるし、マジヤバイんです」

「マジヤバイのはあなたのほうだと思うわ……」

痛い……哀れみの視線が痛い。

ちくしょう、どうしたらいいんだよ。俺はカウンターにいる余見を見る。ちょうど余見もこっちを見ていて、口パクで（早くしなよ）と要求してきた。そんなこと言われたって、今日の齋藤さんはなんか違うんだよ。俺の言うことなんかまったく信じていないし、むしろこっちがおかしい人扱いだ。いったいどうやって説得すれば……。

……あ。そうだ。

テーブルの上のスマホを見て、俺は思い出す。

写真。写真を撮ればいいんだ。

余見が言ってたじゃないか、死者は写真によく写らないって。死んでから時間が経過すればするほど、ぼやけるんだって。要するに心霊写真みたいなもんなんだろうけど、ビジュアルに訴えるって、それなりに効果あるんじゃないだろうか。

「あの。ちょっとこれ、いいですか」

俺は齋藤さんのスマホを指さして言った。俺ので撮影したら、なにか細工があるんじゃないかと疑われるかもしれない。齋藤さんは「どうして？」と怪訝《けげん》な顔をした。

「写真、撮らせてください」

「まあ。こんなおばあちゃんなのに……恥ずかしいわ」

なにをどう勘違いしたのか、齋藤さんは頰を抑えて照れていた。そういう意味じゃないと思ったが、この際その勘違いを利用しよう。写真を撮ることが先決だ。俺はハハハと適当に笑ってごまかしつつ、

「いやいや、お若いですよ」

などと返す。おべんちゃらとかも、言えるんだな俺……。

齋藤さんは「ちょっと待ってね」と巾着袋《きんちゃくぶくろ》から手鏡を出し、すっかり白い前髪を直してから「はい、いいわ」と言った。よし、うまくいきそうだ。

俺はスマホを構える。

モニタで見ている分には、普通に映っているんだけど……これって、どれくらいぼやけるんだろう。

「じゃ、いきますよ」

「あっ。待ってちょうだい！」

「はい？」

「口紅も塗り直すわ。顔色の悪い写真はいやだもの」

「……はあ」

いや、死んでるから顔色とか気にしないでいいです、それ以前にちゃんと写らないし、かなりぼやける予定なのでホント気にしなくていいです……とは言えないので、おとなしく待つことにする。齋藤さんは控えめなベージュピンクの口紅を塗り、また手鏡で確認し、ティッシュで軽く抑えてから「ハイ、お待たせ」と顔をあげた。

「では改めて……いきますよー」

「あ！　待って！」

なに。なんなの。今度はマスカラでも塗るっていうのか？

という台詞《せりふ》を飲み込んで、俺は構えたスマホを下げる。

「ごめんなさい、気がつかなくて。アタシだけじゃだめよね。一緒に撮らなくちゃ。すみませーん、店長さん、ちょっといいかしら」

いや、ぜんぜんあなただけでいいんですけどね……と思いつつ、俺は「あー、はい、そうですねー」と話を合わせる。なんでもいいから早くしてくれ。残り時間がどれくらいなのか知らないけど、いまここで【崩壊】しちゃったらどうするんだ。クールなマスターだって、さすがに卒倒すると思うぞ。

呼ばれたマスターが静かにやってきた。齋藤さんに「私たちの写真を撮ってくださる？」と聞かれて、無言だが丁寧に頷《うなず》く。

俺は席を立ち、齋藤さんの横に座った。

「はい、ピース、ね」

齋藤さんの指示に従い、俺は頬をひきつらせつつもかろうじて笑い、両手でピースをしてみせた。ダブルピースというよりバルタン星人になった気がする。

「……参ります」

マスターの渋い掛け声とともに、カションと独特の音がする。念のため、とマスターはもう一枚撮影してくれてから、齋藤さんにスマホを返す。

「ありがとうございました。ええと、見るのはどうやるんだったかしら」

「あ、俺がします」

齋藤さんからスマホを受け取る。俺のとは機種が違うので、一瞬考えたが、すぐに手順はわかった。

ええと、このアイコンだな。サムネイルが出て……一番最新の写真を………。

表示された写真を見つめた。

自分の細い目を、可能な限り見開いて凝視した。

「どう？　よく撮れてる？」

齋藤さんが聞く。俺は答えられない。

撮れてる。

ある意味ちゃんと撮れてる。

そう、余見の言ったとおりに撮れてる。

ぶわりと鳥肌が立ち、スマホを持つ手が震える。

……怖い。

このぼやけ方というか、ブレ方というか……すげえ怖い。なんなんだ、これ。ホラー映画の宣材に使えそうなレベルの怖さだ。顔部分だけがブレて、笑っていたはずの表情は消え、得体の知れないモノの顔になっている。

この世のモノではないような。

この世に在ってはならないような——それくらい怖い画像になっていた。

「どうしたの？　早く見せてちょうだい？」

俺は無言のまま、齋藤さんにスマホを渡した。

齋藤さんは老眼鏡をかけ、さらにややスマホを遠ざけて画像を確認し、眉をギュッと寄せた。

「いやだ、これ」

声が上擦り、齋藤さんはスマホから目を上げる。

「どうしてこんなに変なブレかたしてるのかしら……ふたりとも」

5

俺は、気持ちの悪い子供だった。

今でも死神を思わせる気持ちの悪い見てくれなわけだが、子供の頃はそれに加えて、発言と行動にも問題があった。

俺はやたらと【死】を気にする子供だった。

思えば、二歳半の頃に死んだ母親がきっかけだったと思う。

母親は脳出血で突然死んだ。自宅で俺と一緒にいた時に昏倒《こんとう》したと聞いている。幼児だった俺は助けを呼ぶことも思いつかず、倒れた母親のそばにじっと座っているだけだったらしい。結局、その日の夜に父親が帰ってくるまで、母親は冷たい台所に倒れたままで、俺はその横で眠ってしまっていた。

なにしろ小さかったので記憶はほとんど残っていない。

だから、つらかったとか悲しかったとか、そういう感情があるわけでもない。俺の意識では、母親は生まれたときからいなかったに等しい。

だが、深層意識のレベルでは違うらしい。自分では手の届かない場所に、母親の記憶がいくつかしまいこまれていたようだ。そのせいか、しばしば夢を見た。生きている母の時もあったけれど、ほとんどは死んでいる母の夢だった。もっとも、夢なのでなんでもありだ。死んでるのに喋《しゃべ》ったり、死んでるのに動いたりもした。かといって、怖《こわ》い夢ではなかった。

父親にその夢の話をすると、すごく嫌な顔をされた。

おまえは気持ちの悪い子だな、とはっきり言われた。父としては、俺を傷つけるつもりはなく、率直な感想を口にしただけなんだろうけれど、俺は傷ついた。と、思う。これも昔すぎて、曖昧《あいまい》なのだ。

俺が五歳の時、父親は再婚した。新しい母親は働いていたので、俺は日中、父方の祖母に預けられた。祖母と言っても、当時まだ五十代だったと思う。いま考えると、年寄りというほどではない。

この祖母が、変わった人だった。

俺のことをベタベタに可愛《かわい》がることもないけれど、素っ気ないというほどもなく、非常にクールな対応だった気がする。俺は生き物の死骸《しがい》にやたらと興味を持つ子供で、虫やら小鳥やら、場合によっては猫の死体まで、祖母の家の庭に持ち込んだ。

最初、祖母は少し怖い顔で「おまえが殺したのかい」と聞いた。

俺が違う、と答えると「なら、なんでそんなもの持ってくるんだい」と重ねて聞いた。

その時自分がどう答えたのか、自分で覚えていたわけではない。のちに祖母の日記を読んで知ったのだが、俺は『生き返るかもしれないから』と答えたそうだ。生き返るかもしれないから、雨風のあたる場所に置いておけない。蟻《あり》がたかってきたら、よけてあげなきゃいけない。そう言ったらしい。日記に『おかしな子だけれど、優しい子だ』と書かれていた。死骸を持ってくる俺の奇行はしばらく続いたが、祖母はとくに咎《とが》めることもなく、腐敗していよいよ見るに堪えなくなると「埋めてあげなさい」と言った。だから、祖母の庭にはかなりの数の小動物が埋まっている。

俺が小学三年生の頃に、祖母は癌《がん》に罹《り》患《かん》した。

入院していた病室で、祖母はニッと笑って俺に言った。「あたしの死体は、大きすぎて運べないね」と。俺は「もうそんなことしてないよ」と答えた。それは嘘ではなく、さすがにその頃には奇行はやんでいた。死体は生き返らないことを検証して、気がすんだのだろう。

祖母は、その冬に亡《な》くなった。

俺の人生で二回目の葬式だったわけだが、一回目はまったく覚えていないので、初めてみたいなものだ。人間の死体を見るのも、初めて同然だ。さほど長くはない闘病だったが、それでも祖母はずいぶん小さくなってしまい、花に埋もれて棺《ひつぎ》に収まっていた。

俺は通夜《つや》のあいだ、何度も祖母に触った。何度触ってもとても冷たく、母親もこんな感じだったのかなと想像した。

死んだら、生き返らない。

九歳だった俺は、そのことを理解していた。頭ではわかっていた。

それなのに、いざ祖母の棺が燃やされる前になると、泣いて暴れ出した。死んでいるにしろ、まだそこにある祖母の身体《からだ》が燃やされるなんて、許しがたいことだと感じた。

いいかげんにしろ、と父親に叱《しか》られた。

あんたになにがわかる、と俺は父親に食ってかかった。父親にまともに抵抗したのは、それが最初で最後だったかもしれない。

どんなにもがいても、大人と子供だ。俺は押さえつけられ、祖母の身体は火葬炉へと入っていった。

数時間して、骨になった祖母が戻ってきた。係員が「とても熱いので、お気をつけください」と言っていた。長い箸《はし》をふたりずつで持ち、骨を拾う。俺と父は腿《もも》の骨だった。親戚《しんせき》たちがひととおり骨を拾うと、のこりを係員が納めた。骨壺《こつつぼ》が小さすぎると俺は思ったのだが、途中で圧をかけて、バリバリバリと砕きながら入れていた。白い砂煙ならぬ、骨煙が立ちのぼる。一番上に頭蓋骨《ずがいこつ》が乗せられて、祖母だったものは、骨壺の中のカルシウムになってしまった。

それはもう祖母ではなかった。

祖母はどこへ行ってしまったのか。身体は燃え、骨と灰になった。それはわかる。けれど、残りはどこにいった？　祖母の持っていた、押しつけがましくない優しさはどこにいった？　父親より俺を可愛がってくれた、あの愛情はどこへいった？

そういうものも、なくなるのか？

全部、消えてしまうのか？

「うん、なくなるなくなる。死ぬってそういうことだから」

ものすごくライトな調子で、死神は答える。

「意識とか心ってのは、肉体とセットになってるものだから、身体がないと保持されないんだよ」

「でも……【魂】はあるんだろ……？」

「【魂】は意識とは違う。【魂】は考えたり、意思を持ったりはできないの。だから今きみが考えているのは、あくまで肉体に属する脳。死んだけど、【魂】という動力でかろうじて保持されている肉体が、思考を可能にしてる」

ならば、【魂】が肉体を保持できなくなったら……限界が来たら……あるいは、あの白い契約書に署名をしたら、俺は……。

「俺……死ぬのか…………？」

ぽん。

ぽんぽんぽん、と、余見が俺の肩を叩《たた》く。

「もー！　なに言ってんの、梶くん！　さんざん見てきたでしょ！　死ぬんじゃなくて、死んでるの！　未来形じゃなくて、現在進行形！」

ペタリと床に座り込み、俺は返事のしようもない。

『ニルバーナ』からアパートに戻っていた。

齋藤さんの横に写っていた俺の顔は、それはもう見事にブレブレで、何度撮っても同じ結果だった。放心してしまった俺は使い物にならず、齋藤さんの説得は、余見が引き継いで、無事にサインをもらったらしい。俺もその場にいたのだが……ショックのあまり、ほとんど耳に入らなかったのだ。

「人間って不思議だねえ。今まで認めていた真実も、自分が対象になった途端に受け入れられなくなる。きみはまたスタート地点に戻って、死神なんかいるはずがないと思い始めてるんだろうけど、いるから。ここに。ハンサムで親切な死神が」

人のベッドの上に腰掛け、長い脚を組んだ余見が言う。上にした脚をぶんぶん遊ばせるので、俺の髪が風圧で揺れるほどだ。

「ずいぶん時間かかったけど、自分から気がついてくれて本当によかった！」

晴れ晴れと、死神が言う。

「きみみたいなタイプって、ひとりよがりでクソ意固地だから、普通に説得してもそうそう納得しないいんだよね。身体感覚も鈍いから、自分の体温が極端に低いことにも気がつかないし。肉体的な接触のある親しい相手がいないから、誰かに指摘されることもないし。クライアントには、味覚が鈍くなる特徴もあるんだけど、それにもまったく気づいてなかったでしょ？」

味覚……？

味のわかりにくいみかん……美味《おい》しくないクリームパスタ……。食欲がわかなかったのも、死んでいたからだっていうのか……？

「あと、身体の末端から、少しずつ皮膚感覚も鈍くなってくるんだ」

俺は自分の手を見た。

指先を擦《こす》り合わせる。……あまり、感じない。

「ね？　でも大丈夫、ちゃんとまにあった！　よかったねえ、【崩壊】しないで。これもすべて優秀な死神であるところの僕が、忍耐強く頑張ったおかげだ。まったく素晴らしいな、僕。お疲れ様、僕！」

滔々《とうとう》と演説をかます死神を、俺はぼんやりと眺めていた。

「はい、では約束の素敵なプレゼントをあげよう！　ジャーン、もうお馴染《なじ》み、白紙の契約書でーす」

ぺらり。

俺の目の前に、白い紙切れが現れる。

「いまさら説明はいらないよね。これに名前を書けばすべて解決！　梶くんは自然の摂理に従って、この世からきちんと消滅します」

消滅する。消える。死ぬ。

いや、もう死んでいるんだ。誰が。俺が。

俺が……死んでる？

バカな。そんなバカな。

俺は口元に手を持っていく。息をハァと吐く。手に風を感じる。呼吸だって、ちゃんとしてる。なのに死んでる？　ないだろ、ないよ、ありえない。

「呼吸や脈の説明、何度もさせないでよね」

先んじて余見に言われてしまい、俺は必死に他の証拠を探した。なにかあるはずだ、俺が死んでいない証拠。俺が生きている証拠。

「め、名刺」

余見を見上げて、俺は言う。

「あんたの名刺、死者が触ったら、燃えて消えるアレ、俺はなんともなかったぞ！」

「うん。そうだった」

余見は真顔で認めた。その直後、ニッと歯を見せて笑い、「だってきみ、触ってないからね！」とつけ足す。触って……ない……？

「僕がテーブルに置いたのを、見てただけ。しかも、置き忘れて帰った。名刺を出されたら、きちんと両手で受け取るっていうマナーを知らないひきこもりニートのきみだったからこその、展開！」

「………」

「ちなみにきみが死んだのは、最初に僕に会った朝の前夜だね。ネットで新作エロゲの評価をチェックしてるうちにうたた寝して、その間に発作が起きて心停止」

報告書でもきているのか、スマホを確認しつつ余見は言う。

「で、『ニルバーナ』で仕事中の僕とたまたま出くわして、僕はきみを見つけて、あらっ？と思って上に問い合わせたら、やっぱりそうだった。死んでた」

「………嘘だ」

俺の顔を見て、余見が笑った。

ニタリと目尻《めじり》が下がり、あの不気味な目が現れる。だが、漆黒に埋め尽くされた目を見ても、以前のような圧倒的な恐怖感はわかない。今の俺は、自分が死んでいるという事実のほうが恐ろしい。

「嘘じゃないよ」

「いやだ。し……死んでるなんて、いやだ」

ほとんど無意識に口走っていた。死神はニタニタしたまま「死ぬのは怖くないって、言ってなかった？」と俺を揶揄《やゆ》する。言っていた。そう思ってたんだ。生きていた頃は、死ぬのなんか怖くなかった。でも今は違う。

死につつある今、俺はどうしようもなく怖かった。

「大丈夫だよ、梶くん。きみなんかいなくても、世の中はなにも困らない。安心して死んでくれていい」

「よ……世の中なんかどうでもいい。お、俺がいやなんだ」

「そう？　生きてたって、楽しいことなんかないじゃない」

黒く塗りつぶした目のまま、死神は嗤《わら》う。

「死んでるみたいに生きてたきみなんだから、本当に死んだところでなにも変わりはしないよ。サインしてくれれば、痛みも苦しみもなく逝《い》ける。高橋さん、眠るように死んだでしょ？　残された花嫁はつらそうだったけど、幸いきみには恋人もいない」

「それは、そうだけど……」

「友達もいない。働いてないから、同僚もいない。隣の住人すら、きみが死んでもなんとも思わない……いや、不気味がられはするだろうね。アパートの大家さんには迷惑かな、次の借り手がつきにくくなって。でもそれはきみの死を悼《いた》んでるわけじゃあない。

お父さんはさすがにいくらか悲しむかな。どうだろうね？　血の繋《つな》がらないお母さんは、むしろ安堵《あんど》するかも。長い間、きみのこと扱いかねてたもんねえ」

死神がベッドから立ち上がり、窓辺に立つ。

昼間のはずなのに、やけに薄暗い。朝はあんなに晴れていたのに、空は灰色に覆《おお》われている。今にも雨が降りそうだし、風も強い。

カタカタと、窓硝子《ガラス》が揺れている。

カタカタカタカタ。

嗤われているようにも聞こえるし、死ね死ねとせかされているような気もする。

「死にたくない」

どうしても、声が震える。

「なんで？」

死神が問う。俺は必死に考える。

死にたくない理由を、生きていたい理由を考える。

「い……生きてれば、変われるかもしれない」

俺の返答に、死神は微《かす》かに首を傾《かし》げた。

「お、俺は、ずっと……ダメなヤツだったかもしれないけど、この先は、まだわからないじゃないか。生きている限り、可能性はあるじゃないか。本気でマンガ家を目指して、もしかしたら、デビューできるかもしれないし、俺の描いた作品を誰かが楽しんでくれるかもしれないし、そしたら、俺だって少しは世の中の役に立つっていうか、誰かと繋がることができるっていうか……！」

「ああ、そうだね。生きていれば、変われるかもしれないねぇ」

「だから、俺は……」

這《は》うようにして、死神の足元に近づく。ひれ伏し、土下座し、足を舐《な》めたっていい。それで死なずにすむなら、それでいい。

俺は死にたくない。

消えたくない。

消滅するのが恐ろしい。今ひしひしと感じているこの恐怖感、それすらなくなってしまうことが恐ろしい。死んだらなにも感じないんだよ、だから怖くないよ、という人がいる。でも『なにも感じない』のに、なぜ『怖くない』と断定できるのだ？　すべての認識は、自我があるから成り立つんじゃないか。

死んだ後に待っているのは、『怖い』も『怖くない』も認識できない世界だ。自分はいないのだ。消えているのだ。

自己の消滅を想像するのは不可能だ。

消滅した瞬間、想像するための核すら失うのだから。

「まだこの世にいたい、まだきっと俺にやれることが……」

「ホントにねー、生きてるうちに、そう思えたらよかったのに」

余見の目が戻る。

ハンサムな人間に戻った……いや、化けた死神が「でももう、死んでるから！」と人差し指を俺に向けて、嬉《うれ》しげに言った。

「遅いんだ。なにもかも。なんできみらはいつもそうなの？　自分はやれたのに、やらなかったことを、終わってから嘆くの？　人間ってのはね、いつか自分が死ぬことを知ってる唯一《ゆいいつ》の生物だよ。だから言葉を得て、智恵《ちえ》を繋ぐことを覚えた。文字を発明して、書き残すという手段を使った。先人たちはみんな言ってる。人生は短い、だから為《な》すべきことを為せって言ってる。古今東西、どんな文化圏でも伝えられていることだ。なのに、きみらはちっとも理解していない。明日死ぬとわかっていたらすることを、今日という日にすることはない。一番大切なことを、いつも後回しにし続ける。そうではない人も、稀《まれ》にいるけど、だいたいひどいね。きみのそのザマにしてもそうだ。死ぬのなんか怖くないって嘯《うそぶ》いてたくせに、いざとなったらビビりまくってる。自分が消滅する恐怖に、今にも泣き出しそうな顔してる。世界はきみなんか必要としていないのに、きみは世界にしがみついてる」

余見の言葉にはひとつの間違いもなく、だから俺は呆然《ぼうぜん》と見上げるしかない。

「もう、すべては手遅れなのにね」

死神が嗤う。とてつもなく綺麗《きれい》な顔で。

俺の身体が凍りつくのがわかった。脈が止まっているのがわかった。心臓が動いていないのがわかった。身体が次第にうまく動かなくなる。ギシギシと、油の切れた機械みたいになる。

「とはいえ」

余見がその場に屈《かが》んで、もはや言葉もない俺の顔を覗《のぞ》き込む。

「まったく手立てがないわけでもないんだよね」

「…………え」

「ゲームだってさ、あるでしょ、裏技」

「し……死神にも、あるのか、裏技……」

「ある」

うふふ、と楽しそうに余見はその場にあぐらを掻《か》いた。

「特別だよ？　梶くん、無能なりに僕の仕事を手伝ってくれたし、あまりにも哀れだもんね。三十にして童貞どころか、女の子と手を繋いだ経験もないまま死ぬなんてさ」

「手くらいは……」

「小学生の時のフォークダンスはノーカンだからね」

なら、ない。確かにない。『死神』があだ名だった俺は、女子どころか男子からも敬遠されるいじめられっ子だったのだから。

「ただし、裏技っていうくらいだからかなり乱暴なんだよね。まず、きみの身体は諦《あきら》めてもらうしかない。なにしろそれ、もう死んでるから」

「身体を諦める……？」

「乗り換えをする」

人差し指を立てた両手をクロスさせ、余見は説明する。

「梶くんの【魂】はまだかろうじて残存してるわけだから、それを別の【器】に入れちゃえばいいんです。とはいえ、基本、【器】には中身が入ってるからね。それに出てもらって、入り込む」

「つまり、俺は別人になるのか……？」

「傍から見たら、そうなる」

「俺の意識とか記憶とかは……」

「基本、引き継がれない。さっきも言ったけど、意識や記憶は身体のほうに……つまり【器】に属するものなんだ。だからきみはそれを持っていくのは無理。ただ【魂】は引き継がれる。というか、入れ替わる。きみの自我は意識の上に成り立っているけれど、意識することとすら不可能なエッセンスを所有しているのは【魂】だ。認識できないし、確認できないが、実在している。どんなに科学が発達しても、人が超自然的なものに惹《ひ》かれるのは、本能的に【魂】の存在を感じているからなんだろうね」

余見の話は難解で、パニック寸前の俺には理解が難しかった。とにかく、俺は身体を失う。それから記憶も失う。でも【魂】はなくさないですむ。余見の口ぶりだと、大切なのは【魂】らしい。

「ど……どうやって、乗り換えするんだ？」

「そこがまた難しいとこなんだなー。まず、健康な【器】は無理。力が漲《みなぎ》ってる相手の【魂】は押しのけられない。かといって、病気でいまにも死にそうな人に乗り換えるのもだめ。またすぐに死んじゃったら意味ないし」

ならば、どうすればいいのか。

どんな【器】を見つければ、俺はこの世界に留まれるのか。

「理想的なのは、健康な人に起きた突発的な事故で、命の危険はあるものの、それが回避できれば回復は早く、ほどなく健康な生活に戻れる……っていうパターンかな」

「そんな都合のいい話……」

「そうなんだよ。ないんだよ。ほとんどない」

ハハハ、と余見は俺の肩をバンバン叩く。体幹に全く力の入っていない俺は、ぐらりと傾いで床に手を突いた。

「でもね梶くん。ほとんどない、は、たま〜にある、とも言い換えられる。そしてきみは運がいい。今までの運が悪かったのは、今日という日のためかもしれないっていうくらい、運がいい」

「え……」

「候補者が、近くにいる」

理想的な【器】が？

健康な人に起きた突発的な事故が？

「行くよ、梶くん」

余見がスックと立ち上がる。俺はよろけながら立ち上がる。

「ど、どこに……」

「すぐそこ」

アパートの部屋を出ると、余見はくるりと右を向いて数歩進む。そして隣の部屋の……例の親子の部屋のドアを、ノックすらせずにためらいなく開けた。しかも、そのまま土足でずかずかと入っていく。

「おい……」

そう言って、余見に続き隣室の三和土《たたき》に立った俺が見たのは、散らかった部屋の中央に立つ死神と――その横に座り込む子供の姿だった。

部屋のカーテンはしまっていたが、電気がついていた。死神が一歩横にずれると、電灯が子供をはっきりと照らし出した。手になにかを握りしめている。……袋だ。

メロンパンの、袋。

「たった今、パンを喉《のど》に詰まらせたんだ」

子供を見下ろして、死神は説明した。いつもとまったく変わらない、明るい声と明瞭《めいりょう》な滑舌だった。

「お母さん、昨日から帰ってないみたいだねえ。なんかあったのかな？　まあ、梶くんよりだいぶ若いけど、【器】の年齢や性別を選んでいる余裕はないからね。このタイミングでこの子が死にかけている幸運に感謝すべきだよ？　あー、チアノーゼ出てるみたいだ。ほらほら急がないと」

言葉など出るはずがなかった。

この子なのか？　この子の【器】をもらおうっていうのか？

俺をキショイと言ったガキ。俺のメロンパンを盗んだガキ。

今は顔を赤紫色にして、目を見開き、口を開け、ヒクヒクと震えている。

「方法はいたって簡単。きみはこの子に触れた状態で、心停止を待てばいい。心停止と同時に僕が【魂】を送り入れる。そのあとですぐ蘇生《そせい》させてあげるから大丈夫。はい、こっち来て。触ってないとだめなんだよ」

余見に呼ばれ、俺はフラフラと子供に近づいた。

膝《ひざ》を折り、子供と同じようにぺたりと座り込む。子供が俺を見た。震えながら手を伸ばしてきた。助けを請《こ》うように。

なにやってんだ。

この子の母親はなにやってんだ。なんで今、ここにいないんだ。

「ここんちは母子家庭なんだよねー。母親は昼間のパートと水商売、二本立てで頑張ってるけど、それでもなかなか生活は苦しい。ワーキングプアってやつだ。家庭環境がいいとは言えないけど、まあ、消滅するよりマシでしょ？　ほらほら、時間ないよ」

余見が俺を急かす。

俺は子供に手を伸ばした。子供が倒れかかってくる。腕の中の小さな身体があまりに熱くて、俺はびっくりした。

「そうそう。そうやって、持ってて」

死神が懐中時計を出す。

時間をみている。

俺の、俺たちの、人間の、命の時間。こいつらが管理しているのか、こいつらの『上』とやらか。俺たちは無力だ。自分ではなにもできない。どうしようもない。ただ生まれて、ただ死んでいく。

――生き物は、なんで死ぬの？

祖母にそう聞いたことがある。病床の祖母は「そりゃ、おまえ」と笑った。

――順番に死ななきゃ、この世がてんで狭くなってしまうからだよ。生まれてくるもののために、場所をあけてやらないとね。

その時、俺はなんと答えたのか覚えてない。納得したかどうかも、もう記憶にない。ただ、今はなんとなく腑《ふ》に落ちる。生まれたから死ぬわけじゃない。次に生まれるもののために死ぬんだ。それが真実かどうかはわからないけど、祖母はそう考えて死んでいった。彼女は最期《さいご》まで、死ぬことに怯《おび》えたりはしていなかった。

俺は、祖母みたいに考えられるほど、人間ができていない。この可愛くないガキの場所を奪い、少しでもこの世にしがみつきたい気持ちは、正直ある。結構ある。俺は利己的で、意気地なしで、脆弱《ぜいじゃく》で、どうしようもないヘタレ野郎で……。

だから、

「む、無理だ」

顔を歪《ゆが》めて、俺は口走った。

子供を改めて抱え直す。背後から、両脇《りょうわき》に腕を通す。身体を密着させてそのまま立ち上がり、抱き上げる。

考えるより先に、身体が動いた。

へそはどこだ。ここか。このへんに……握りこぶしを作って、へそより上、みぞおちより下に当てて——突き上げる。

思い切って、強く。

カハッ、と子供がパンの塊を吐き出した。

何度か噎《む》せて、泣き出す。ギャアギャア泣く。

俺はその場にへたりこんで、子供の泣き顔をただ見ている。

「梶くーん……」

やれやれ、といった調子で余見が俺を見下ろす。

「サイテー。人が親切に裏技を教えてあげたのに……薄っぺらい偽善心で、チャンスを無駄にしちゃって……」

「……ごめん」

なぜか、素直に詫《わ》びの言葉が出る。余見が少し驚いた顔をした。緊張からいっきに弛《し》緩《かん》したせいか、俺の全身は脱力してしまっていて、精神的にも無駄な力が入らなくなっているようだ。

「ごめん……けど、無理だ。俺、ヘタレだもん。オタでニートでスネップでひきこもりだもん。死にかけてる子供を黙って抱えてる勇気とか、ないわ……」

「しかも、ハイムリック法とか知ってるし。なんなの、きみ」

「たまただよ。ほんと、たまたま……」

笑えるような、偶然だ。

ハイムリック法。

喉に異物を詰まらせたときの、対処方法のひとつだ。中学の保健授業で習った。が、習ったから覚えていたわけではない。いじめられっ子だった俺は、喉になにも詰まらせてないのに『ハイムリックごっこ』の犠牲になっていたのだ。一度や二度じゃない。何度も、何度も……。これって、されるほうはかなり痛い。おかげで、腹にはいつも痣《あざ》ができてた。風呂《ふろ》から上がった俺を見て、父親が「その痣はなんだ」って聞いたのを覚えてる。俺はなにも答えなくて、父親もそれ以上は聞かなかった。

……けど、あれだな。

そのあと、担任が『ハイムリックごっこ』を禁止したんだ。禁止してすぐにやめるガキどもじゃないんだけど、見つかったら怒られる、っていう抑止力はある程度の効果があって、いつしか自然消滅した。もしかして、もしかしたら……父親は担任になにか言ってくれたのだろうか？　今まで思いつきもしなかったけど。

それにしてもわかんないもんだ。

いじめられた経験が、こんなところで役に立つなんて、想像もしてなかったよ。

カンカンカンと、外階段を駆け上る音がする。

ドアが開き、母親が一瞬身を竦《すく》めた。相変わらずギャン泣きしてる子供の名前を叫び、獣のような勢いで飛び込んできて、抱え込む。我が子をがっちりと守り、俺たちに燃えるような瞳《ひとみ》を向ける。

「あんたたちっ、この子になにしたのよ！」

なにも事情を知らない、一方的な怒鳴り声。

なのに俺は、不思議とちっとも腹が立たなかった。ああ、お母さん帰ってきてよかったな、と思っただけだった。

「えっと、すみません……」

驚かせてしまったことに対して謝ったのだが、母親はどう受け取ったのか「け、警察を呼ぶからね！」とまた叫ぶ。子供は泣くばかりで、俺たちの擁護はまったく望めそうになく、けれどこんなふうに泣けるのも、喉に詰まっていたパンが取れたからだと思えば、めでたいじゃないか。よかったじゃないか。

「あはは」

なんだか、笑ってしまった。

自嘲《じちょう》以外で笑うのって、久しぶりだ。

笑う俺が気持ち悪かったのだろう、母親は子供を抱えたまま、尻で後ずさる。

「はは……は、すみません、もう行きますから……あはは……」

俺は立ち上がり、笑いながらヘコヘコと頭を下げた。

なんだろう、この清々《すがすが》しくて、面白おかしい感じ。ぜんぜん予定通りに進まなかったのに、目的を遂げられなかったのに、べつに悔しくない感じ。RPGしてて、偶然見つけたレアな裏ルートの、しかもバッドエンドが、そのゲームで一番いいシナリオだったみたいな……そんな感じ。

俺は母子の部屋を出る。

外廊下で空を見上げた。あれ。なんか天気いいな。ヘンなの。ちょっと前まで、嵐《あらし》がきそうな灰色の空だったのに、今は青い。目にしみるような、冬の青じゃないか。

余見は俺より先に外に出ていた。

いつもにやけた男なのに、珍しく不機嫌かつ険しい顔つきをしている。

「ヘラヘラしてんじゃないよ」

さすが死神、ずいぶん冷たい声が出るものだ。

「全部台無しだ。死神の親切を無にするなんて」

「ごめんごめん。でも、ダメだよ。俺には無理だわ、やっぱ」

自分の部屋に戻りつつ、俺はそう返した。死神はよほど怒っているらしく、俺の部屋にまで土足で入ってくる。

「おい、靴……」

「また中途半端《はんぱ》な偽善心に邪魔されたわけだね。自分が生き続ける代わりに、小さい子を犠牲にするなんてよくない、とでも思ったんだろうけど、くだらないね。善人じゃない人間ほど、善人への憧《あこが》れが強いもんだ」

「そんなんじゃないと思う」

俺は穏やかに否定した。

「偽善とか……たぶん、それ以前の問題。俺はちっちゃい人間なんだよ。度胸も、勇気も、やる気も、平均値を下回ってる。だからなにさせてもダメだった」

「そんなこと知ってるよ」

「だよな」

俺は壊れたこたつテーブルの前に座り、ノートパソコンを起動させた。

「俺はダメ人間だから、偉業は成し遂げられない」

秘密のフォルダを……人様に見せたらいかんエロいのを、削除していく。

「けど、ダメ人間だから、いわゆる極悪非道もできないんだよ。怖いんだ。びびっちまう。人を殺したりするのって、かなり度胸いるんだと思う」

うーん、秘密フォルダの動画関係、かなりあるなあ。削除に時間かかりそう……あ、そうだ。エロDVDとエロゲもなんとかしないと。

俺は立ち上がり、押し入れに頭を突っ込む。まずは該当品の発掘からだ。

「ものすごく憎んでる相手ならともかくさ、小憎らしい程度の、よく知りもしない隣の子供殺すって、俺みたいなヤツにはハードル高すぎるんだよ」

懐《なつ》かしのお宝たちが、ザクザク出てくる。

「しかも、俺のやったメロンパンで喉詰まらせて、あんな顔色でこっち見てるんだぜ？　無理だろ。ハードルどころじゃないよ。ハードル走だと思って走り始めたら、棒高跳びのバーが現れちゃった気分だよ。飛べるか？　飛べないよ。無理無理無理無理」

だから俺はくぐった。

バーの下をくぐった。

見殺しにすべきあのガキを、助けた。

善意とかじゃない。そのほうが、楽だったんだ。

俺みたいなしょうもない小者には、殺すより救うほうが楽だったんだよ。俺はダメなヤツだから、いつだって楽なほうに流されるんだ。

矮小《わいしょう》な俺に、輝かしい功績は挙げられない。

そのかわり、人をゾッとさせるような犯罪も無理。

ちっせーよな、ほんと。けど、まあ、こんなもんだろ。しょうがないだろ。

……それにつけても、エロゲの多さよ……。

俺はゴミ袋に、エロコンテンツたちを詰めていく。

袋は半透明だからパッケージが透けまくりだ。これはゆゆしき問題である。一度詰めた愛用品たちをまた床にザラザラ出して、パッケージから印刷物を抜くことにした。こっちはぐしゃぐしゃに丸めて、燃えるごみとして処分しよう。

「なあ、余見さん、手伝ってよ」

「………………エッチなゲームを処分ということは、覚悟が決まったわけ？」

「覚悟してもしなくても、ダメなもんはダメなんだろ」

「まあね」

「なあ、死んだらどうなんの？ 聞くの三回目だけど」

余見はなにも答えなかった。ネタバレ禁止、とも言わなかった。

唐突に、俺は思った。

思ったというより、気がついたに近い。きっとそうなんだという確信があった。理由や理屈はないのに、その確信はなぜか揺るぎなかった。

知らないのだ。

こいつも、死神も、知らないのだ。知りようがないのだ。

それが死ぬということなんじゃないのか？

「……とにかくこれだけは処分しないと、死んでも死にきれねー」

俺は再び手を動かし始めた。

おまえも知らないのだろうと、余見に言う気はなかった。言ったところでなにが変わるわけでもない。

「これ終わったら、サインすっから」

「……ほんとうに、きみはどうしようもないね……」

深い吐息とともに、それでも余見はケースから印刷物を抜くのを手伝い始めてくれた。

今更だけど、ほんとに変なヤツだ。

こいつはどこから来てどこに行くんだろう。俺の死を見届けたあとは、いったい……………………いや、おい、ちょっと。そんなにしげしげ見なくていいから。

「制服ものが好きなわけだ」

「分析すんなよ……」

「ときどき、思い出したように熟女があるのは？」

「ほっとけっ」

「ん？　シーメールってなに？」

「読まなくていいから！　時間ないんだから！」

うるさい死神とともに、どうにかやばいものをごみ袋に詰めた。パソコンのデータ消去も終わったようだ。あくせく働いたが、べつに汗はかいていない。なにしろ俺はもう、死んでいるので。

「……あのさ」

黒いロングコートについた埃《ほこり》を払っている余見に言う。

「俺、今、ゲームだと、最後の分岐を終えたとこだと思うんだよね」

「はあ?」

「子供を殺すか助けるかの選択をして、正しい選択をしたらクリア。間違えたらバッドエンド」

「きみ、思い切り間違えたじゃない。クリアになるわけないでしょ」

「……やっぱり?」

「早くサインしなよ。いよいよこの世とおさらばだ」

ひらりと虚空《こくう》から契約書を出して、余見が俺につきつける。

「……マンガとかラノベなんかだとさ、ここがクライマックスで、子供殺さなかった俺にはボーナス的な救済措置があって……」

「ない」

電光石火の即答である。

「ずっと天から見ていた神様が『子供を助けたおまえを、助けてあげよう』って言うだとか……」

「ずっと一緒に見てた死神様が『早くサインしやがれ、愚図』って言う」

……そっか。

やっぱそうか。避けようはないのか。

俺は苦笑いしながら、契約書を受け取った。署名の前に、もう一度死神に聞いておく。

「このあと眠っちゃって死ぬんだよな？　手紙書く時間とか、あるかな」

「それくらいあるけど、下手に遺書なんか書くと自殺だってことになるよ」

「あ、そっか……それあんましよくないなあ……メールにしとくかな、短めの、なんてことない感じの」

「家族に？」

「まあね」

親父《おやじ》にはメールしとこう。気の合わない親子だったけど……最後くらいは、な。

言い終わってから、俺はハタと別の問題に気がついた。

「あっ！　おい、俺の死体って誰が発見してくれんの？　あんたが警察とかに知らせてくれんの？」

「図々《ずうずう》しいね、きみ。それは死神の仕事じゃないよ」

「じゃ、俺……ひとりで腐ってくのか……？　それはやだな……すげーやだな……」

かといって、俺を訪ねてくれる友人などいない。発見まではかなりの時間がかかることになると思う。

「わからないなあ。きみはもう死んでるんだから、腐っていようと燃えていようと構わないじゃない」

「構うよ」

「死んでるんだから、自分の腐敗臭もわかんないんだし」

「そういう問題じゃなくて……大家さんにも悪いしさあ」

「あー、もう、さっさとサインしなよ。きみの死体なら、たぶん隣の母親が見つけてくれるって。子供が落ち着いたら、ちゃんと事情を話すだろうし、そしたら母親だって礼のひとつもいいに来るんじゃないの？」

「…………そこで死んでいる俺を発見して、悔やんで泣いた彼女の涙が一滴、俺の頬にポタリと落ちるとあら不思議、俺は再び目を覚まし、しかも二割増しくらいハンサムになっていて、ふたりは恋に……」

「落　ち　な　い　！」

一語ずつハッキリクッキリ言われてしまった。そうですか。そうだよなー。ゲームだとしてもあまりに安易なエンドだ。

「気味の悪い妄想はいいから、さっさと名前書いてよ、アン・シャーリー！」

その呼び方、ちょっと久しぶりだ。もはや顔に押しつけられそうに迫ってきた契約書を受け取って、俺は「わかったわかった」と死神を宥《なだ》める。

じゃ、サインすっか。

いつか有名なマンガ家になったら、サイン会とかするんだ。ファンとプレゼントと花束に囲まれるんだ……そんな妄想をしていた頃が懐かしい。結局、俺はこの汚いアパートでひとりサイン会だ。

見守るのはファンじゃなくて、死神がひとり。

下手な字だけど、読みやすい楷書《かいしょ》で、できるだけ丁寧に名前を書く。

梶、真琴。

女の子みたいな名前は、母親が決めたらしい。

「はい、確かに」

契約書を受け取ると、余見は俺を見下ろして「あー、もう面倒くさいクライアントだったよ、きみは」と嘆いた。

「面倒くさいついでに、あのゴミ、処分しといてくれないか？」

「エロゲとエロDVDを？　やだよ」

「そう言わないで。頼む。……やってくれないと、化けて出るぞ」

「幽霊は存在しない。前にも言ったけど、【魂】は考えたり意思を持ったりできない。……でも、まあ、捨てておいてあげよう。きみは僕にいいものを教えてくれたから、特別サービスだ」

「いいもの？」

余見は親指で、自分の背後を示す。

マンガばかりの本棚だ。

「ああ……そっか。気に入ってもらえて、よかった」

「あの中に、きみの作品はなかったけど」

「そうだな」

俺は頷《うなず》いた。

後悔するほどの人生じゃないけど、ひとつあるとしたらそこかもしれない。もっとちゃんと、マンガを描けばよかった。下手でも、誰かと似たような話でも、自己満足の気色悪い妄想でも、描けばよかったんだ。

明日から描こう、今日はゲームしよう。

明日から描こう、今日は寝よう。

明日から描こう、気が向いたら。

そんなふうに、俺はずいぶんたくさんの時間を無駄にした。

明日から、明日から——いつか、明日がこない日がやってくるのに。

ちゃんとマンガ描けばよかった。

中学の時、好きだった子に告白すればよかった。

誘われた漫画サークルに入ればよかった。風俗でいいから、童貞捨てておけばよかった。実家にもっと顔出しておけばよかった。うわあ、後悔いっぱい出てきたな……前言撤回だよ。俺程度の人生でも、悔やむことばっかりだ。

「あ。メールしなきゃな」

父親に、送らなくちゃ。

眠くなる前に。死ぬ前に。もう死んでるけど。

スマホのメール画面を睨《にら》みながら、俺は考える。うーん、難しいぞ。前回メールしてから、軽く半年は経《た》っている。前回のメールだって、みっともないことに金の無心だもんなあ。返事は『明日送金する』だけだったし。

パチン。

死神が懐中時計の蓋《ふた》を開けた。

「あんまり、時間ないからね」

マジで？　やばい。

ええと、ええと……元気ですか、とかそういうの気恥ずかしいんだよな。今までありがとう、とかも絶対不自然だし。なんか遺書っぽくなるし。だいたい、正直いって、父さんにはそんなに感謝してないし。べつに悪い人じゃないと思うけど、相性がよくなかったんだよ、俺たち。たぶん親子でも、相性とかあるんだ。

なんかないかなあ?

遺書ムードはなくて、でも最後に、親父に伝えておきたいことって、ないかな……。

うわ、来た。

眠い。なんだこれ。ハンパねえ。

「急いで」

死神の声が聞こえる。目がかすむ。二徹してゲームやりこんだ時の睡魔みたいだ。いや、もっと強烈かも。件名を考える余力なんかない。本文。本文だ。だめだ、瞼《まぶた》が死ぬほど重い。いや、もう死んでるけど。

俺はかろうじて、スマホのマイクボタンに触れた。音声入力。これ考えた人エライ。

なにか言え。

なにか言え、俺。父さんに。

「……ハ…………」

追い詰められた人間って、わりと変なこと考えつくものだ。

「ハイムリック法って、知ってる?」

そこで俺は力尽きた。

手の中からスマホが滑り落ちる。

余見の声が妙に遠くに聞こえた。

送信はしておいてあげるよ、きみは最後まで手間のかかる人だねえ――そんなふうに言っていた。悪い、助かる、と答えたかったけれど、もう無理だった。

瞼が落ちる。

暗くなる。

正直にいうと、やっぱりすごく怖かった。

死んだら、どうなるのか。

どこに行くのか。


その答が、もうすぐわかる。

「ちょっと失礼します〜。点滴どうかな?」

女性看護師がベッド脇《わき》に立ち、輸液ボトルの残量を確認した。

チャンバーを調節しながら「あと三十分ですね」と、患者に微笑《ほほえ》みかける。患者はニタリと笑い返し「どぉも」と短く返した。彼の笑顔に爽《さわ》やかさが足りないのは、本人のせいではない。生まれつき、そういう顔なのだ。

「なんかちょっと、アタマ痛いんだよね」

「うーん、発熱してますからねえ。先生に聞いて、お薬出してもらいます?」

「いや、我慢できないほどじゃないからいいや。つらくなったらまた言います」

「わかりました」

頷《うなず》いて看護師が帰る。彼はぼそりと「つらくない時なんか、ほとんどねーけどな」と笑いながら呟《つぶや》く。

僕はなんと返したらいいのかわからない。

６０７号室。二人部屋の空間は、また静かになる。

手前のベッドは空だった。昨日まではお年寄りが入っていたのだが、どうしたんだろう。無事に退院……ということはないと思う。かなり重篤《じゅうとく》な様子なのは、以前、漏れ聞こえてきた家族の会話から察せられたからだ。

ぺらり。

僕は最後の一枚を捲《めく》った。

Ａ４の方眼用紙に、Ｂ芯《しん》のシャープペンシルで描いたネームを、読み終えた。手が少し震えて、尻がちょっと痛いことに気がつく。ずいぶん長いあいだ、座り続け、読み続けていたのだ。

「どーよ」

ベッドに横たわったまま、彼が聞く。

青白い顔の、頬骨のあたりだけが少し赤い。きっと熱のせいだろう。今日は起き上がっているのもきついようで、枕《まくら》から頭を上げようとしない。

「…………すごい」

最初に、その言葉がでる。そのあとで僕はちょっと笑い、

「でも、ひどいですよ、梶先生」

と続けた。

「この、高橋っていう死んじゃうキャラ、まるきり僕じゃないですか」

「あ、バレた？」

「バレたもなにも……眼鏡とか、喋《しゃべ》り口調とか、嫁さんでかいとか。……っていうか、名前同じだし！」

　あはは、と彼が笑い、そのあとで軽く咳《せ》き込む。酸素、外したままでいいんだろうか。でも、今の看護師もなにも言っていなかったから、問題ないのだろう。

　病状は、一進一退だ。

「ひどいけど……面白かったです。一度も手が止まらなかった」

「だろ？」

「僕、死んじゃうんですねえ……」

「俺だって死ぬよ」

「主人公も、梶先生まんまじゃないですか。いや、昔の先生かな。七、八年前？」

「そ。高橋さんとこに、持ち込む前の俺がモデル。エロゲばっかやって、マンガから逃げてた、ダメダメだった頃の自分……キャラの名前は仮だよ。原稿描くときには変えてもいい。自分と同じ名前の主人公だなんて、こっぱずかしいもんな」

「僕の名前も変えます？」

「そこはいいじゃん。高橋なんて、よくある名前だ」

ニヤリと、無精髭《ぶしょうひげ》の顔が笑う。

梶マコトはマンガ家だ。

売れっ子、ではない。かといって、まったく売れないというほどでもない。デビューが遅く、作風に癖《くせ》があり、目立つ存在ではなかったが、じわじわと読者を摑《つか》んできた。徐々に認知されてきて、やっと雑誌の巻頭カラーを任されるようになった頃、治癒の難しい病を発症した。今回の入院は三度目で、今日で二週間になる。

「死神、キャラ立ってますね〜。すごくいいなあ」

「だろ。やっぱ美形キャラひとりはいないとなあ……今回主人公がブサだし」

「けど梶先生、イケメンのキャラ描くの苦手ですよね」

「今、勉強してんだよ。あれ見てくれよ」

細い人差し指が示すのは、床に置かれた紙袋だ。ジャンルを問わず、男性キャラがかっこいいとされているマンガが詰まっていた。BLまである。

「わ、すごい。……けど、無理しないでくださいね」

「無理じゃないって。そりゃ、絵柄を根本から変えるのはできないけど……」

「そうじゃなくて。もうすぐ、手術なんだし」

僕がいたって真剣に言ったのに、梶先生はニヤニヤして「やだよ。無理する」などと答える。

「面白いマンガ描きたいもん」

「それはわかりますけど」

「なあ、手術成功すると思う？」

「します。絶対」

僕は言い切った。

「執刀医はそう言ってなかったぞ」

「医者になにがわかるんですか。梶先生のことは、僕のほうがよく知ってる。七年も担当やってるんですよ。何度も梶先生の『もう描かない。描けない』につきあってきたんですからね」

わざと憮然《ぶぜん》とした顔で返すと、梶先生は笑って「はいはい、そうだよな」と答えてくれた。

僕は医者じゃない。

ただのマンガ編集者だ。だから、手術が成功するかどうかなんてわかるはずがない。それでも、聞かれたらああ答えると決めている。言霊《ことだま》とか神様とか、そういうのを信じるわけではないけれど……唯一《ゆいいつ》、僕は梶マコトのマンガを信じている。こんな面白いネームを切ったマンガ家が、死ぬわけなんかないと信じている。

「『ニルバーナ』って、涅槃《ねはん》、でしたよね」

「そうそう」

「マスター、なんか裏設定あったら面白いんじゃないですか？　どこか訳知りな感じで、気になります」

「いいね。実は余見の上司だとか？」

「それ、アリだと思います！」

ひとしきり、ネームについて僕たちは話した。梶先生はたまに咳き込みながら、それでも楽しそうだった。深夜、ふとんの中にライトを持ち込み、隠れてネームを描いていたら、師長さんに叱《しか》られたと笑う。

僕も笑ったが、内心で驚いていた。

すごい執念だ。怖いほどだ。

だってこのネームは、四百ページ近くある。僕が前回見舞に来たのは五日前で、つまり梶先生は四日でこれを描いたことになる。病院で、だ。途中から、絵はかなりアタリ線になっていくが、それでも読みにくいことはなかった。発熱の原因は明らかにこのネームだったが、僕はそれを窘《たしな》める気にはなれない。梶先生が、どんなにこの作品を描きたかったたか、その情熱が伝わってきたからだ。

「さすがに、疲れたな」

フゥ、と息をついて梶先生が呟く。

「これ、すぐ会議にかけます。連載枠取らないと！」

「そんなに焦《あせ》らなくていいって……。これから手術なんだしさ」

「じゃ、編集長の言質《げんち》だけは取っておきます。ぜったい連載しますから。予告も大々的にやりましょう」

「美少女出てこないけど、売れっかなぁ」

ケホッと弱い咳《せき》をして、梶先生は自分で酸素マスクをつける。

「いけますよ。美少女より、美形死神のほうがインパクトあります」

「読者層変わりそうだな」

「それも面白いじゃないですか」

「描きたいな」

「描いていただきます」

僕が言うと、梶先生は「ウン」と少し笑った。

「生きてるうちに、いろいろやっとかないとな」

言葉の最後が掠《かす》れ、少し苦しくなってきたようだ。何度か咳が続き、ベッドが揺れる。

無理をさせちゃいけないと、僕はパイプ椅子《いす》から立ち上がり「そろそろ、社に戻りますね」と言った。

「ネーム、お預かりします。コピーしたら、原本はお返ししますので」

「おう、よろしく」

「あ、そうだ。今日、お父さんから編集部にみかんが届きました。すごく甘くて美味《おい》しいですよ。本当にありがとうございます」

「俺に言うなよ。送ったの親父《おやじ》なんだろ」

マスクの下で、ちょっと怒ったように梶先生は言った。照れているのがまるわかりだ。以前お会いしたお父さんも無口で不器用っぽい人だったので、よく似た親子といえる。ついでにいえば、顔もそっくり……つまり、『死神顔』である。

「また来ます」

軽く頭を下げて言うと「あんがと」と梶先生が軽く手をグーパーした。

僕は病室を出る。

廊下の先にエレベータホールがあるのだが、裏手の階段を使うことにした。なんだか気持ちが急《せ》いていた。早く社に戻って、編集長にネームを見せたい。パタパタと小走りに階段を下りていく。病室は六階だったけれど、降りる分には気にならない。

「わっ」

運動音痴のくせに張り切ったせいで、途中でたたらを踏んでしまった。もう少しで段を踏み外しそうになった時、下から来た人が「おっと」と支えてくれる。

「す、すみません」

いい大人が階段でこけそうになるのは、かなり恥ずかしい。

僕は顔を上げることができないまま、それでも慌《あわ》てて頭を下げた。相手は……かなり背の高いその男性は「いいえ」と軽やかに言って、すれ違う。

おお、いい声だなあ。

男にしてはちょっと高めで、甘さのある……なんだか声優さんみたいだ。

僕は振り返った。

さしたる意図もなく。本当に、なんとなく。

ぶわり。

風もないのに膨らみ、翻《ひるがえ》る、黒いコートの裾《すそ》。

その人は、ちょうど階段の踊り場にさしかかるところだった。立てたコートの襟《えり》の向こう、横顔が見える。高い鼻。描いたような眉《まゆ》。聡明《そうめい》さを現す綺麗《きれい》な額と、緩く靡《なび》く、ウェーブのある髪………。

僕の足が止まる。

視線を感じたのか、男がこっちを見る。

僕を見下ろして、珍しい虫でも見つけたかのように、ゆっくり首を傾《かし》げる。

観察されているような視線は不快というよりは、恐怖に近く、僕は足の甲にピンでも刺されたみたいに動けない。

二秒後、音のしそうな瞬《まばた》きを一度だけして、男は微笑んだ。

三日月のように細められた目の中が、炭のような漆黒に塗り潰《つぶ》されていた。

瞳《ひとみ》は消失したのに、それでも男が僕を凝視しているのがわかった。

――残念ながら、あなたはもう……。

読んだばかりのネームにあった、台詞《せりふ》を思い出す。これかっこいいな、帯のキャッチコピーに使えるな、なんて思ってた。

男が顔を戻し、進む。

六階の廊下に進む。

心臓を氷水に漬けられたような気分になった。震える膝《ひざ》を叱咤《しった》して、僕は再び階段を上る。まさか、違う、そんな、ただの偶然だ、見間違いだ、だってあり得ないだろう、そんなはずないだろう。現存するわけないだろう。

転びそうな勢いで、六階の廊下に戻る。


コートの男は、６０７号室に入っていった。

あとがき

餅《もち》が大好きなのですが、餅というのは時に危険な食べものであり、正月には『餅を喉《のど》に詰まらせて窒息死』というニュースも耳にします。人間は実に脆《もろ》い生き物で、酸素供給がなくなると僅《わず》か数分で死んでしまいます。空気がなくても水がなくても摂氏百五十度から絶対零度までをも生き抜いてしまう生物界の超タフガイ、クマムシとはわけが違うのです。か弱いホモサピエンスたちは、餅を食べる時には注意をしなければなりません。とくにお子さんや高齢者には、まず大きな餅を出さないようにしましょう。小さなサイズで出せば、喉に詰まらせる危険もまた小さくなります。それでももし、あなたの隣でお雑煮を食べていた誰かが餅を喉に詰まらせた時には、対処しなければなりません。まず、意識の状態を確認します。意識がある場合とない場合で、対処方法が違うからです。意識がある場合は、咳《せ》き込ませます。本人に咳《せき》が可能なのであれば、異物除去にもっとも有効な方法です。咳で異物がすぐに出れば問題ありませんが、窒息になりそうだったら119番通報をしてください。

救急車を待つあいだ、異物除去のために『ハイムリック法』あるいは『背部叩打法《こうだ》』を試します。詳しい方法については、素人《しろうと》の私が間違ったことを書いてもいけませんので、どうぞ各自でググってみたりして、お調べください。ただし『ハイムリック法』は、妊婦と乳幼児に行ってはいけないことだけは、ここに記しておきます。また、すでに反応がない場合は、心肺停止に対して行う心肺蘇生法の手順を開始します。

申し遅れましたが、著者の榎田ユウリです。このたびは拙著をお読みいただき、ありがとうございました。この本は年末に発売予定、ちょうどお餅を食べる時期です。皆様も喉に詰まらせないように気をつけて、楽しくお雑煮を召し上がってください。

本作刊行にあたり、ご尽力いただきました総《すべ》ての方々に御礼を申し上げます。THORES柴本先生には素敵に美しい死神を描いていただきました。ぜんぜん素敵じゃないはずの梶も、なんだか可愛《かわい》げがあってとても好きです。

では、またどこかでお会いできますように。皆様温かくしてお過ごしください。

二〇一四年霜月

榎田ユウリ

〈参考文献〉

『孤独死のリアル』結城康博著／講談社現代新書刊

本書は新潮文庫のために書き下ろされた。

雪乃紗衣著

レアリアI

長年争う帝国と王朝。休戦派の魔女家の少女は帝都へ行く。破滅の〝黒い羊〟を追って――。世代を超え運命に挑む、大河小説第一弾。

竹宮ゆゆこ著

知らない映画のサントラを聴く

錦戸枇杷。23歳（かわいそうな人）。そんな私に訪れたコレは、果たして恋か、贖罪か。無職女×コスプレ男子の圧倒的恋愛小説。

神永学著

革命のリベリオン
―第Ⅰ部　いつわりの世界―

人生も未来も生まれつき定められた〝DNA格差社会〟。生きる世界の欺瞞に気付いた時、少年は叛逆者《リベリオン》となる――壮大な物語、開幕！

河野裕著

いなくなれ、群青

11月19日午前6時42分、僕は彼女に再会した。あるはずのない出会いが平坦な高校生活を一変させる。心を穿つ新時代の青春ミステリ。

朝井リョウ・飛鳥井千砂
越谷オサム・坂木司
徳永圭・似鳥鶏
三上延・吉川トリコ著

この部屋で君と

腐れ縁の恋人同士、傷心の青年と幼い少女、妖怪と僕!?　さまざまなシチュエーションで何かが起きるひとつ屋根の下《ふたりぐらし》アンソロジー。

神西亜樹著

坂東蛍子、日常に飽き飽き
新潮nex大賞受賞

その女子高生、名を坂東蛍子という。容姿端麗、学業優秀、運動万能ながら、道を歩けば事件に当たる、疾風怒濤の主人公である。

相沢沙呼著

スキュラ&カリュブディス
—死《タナトス》の口吻《くちづけ》—

初夏。街では連続変死事件が起きていた。千切れた遺体。流通する麻薬。恍惚の表情で死ぬ少女たち。背徳の新伝奇ミステリ。

七尾与史著

バリ3探偵 圏内ちゃん

圏外では生きていけない。人との会話はすべてチャット……。ネット依存の引きこもり女子、圏内ちゃんが連続怪奇殺人の謎に挑む！

篠原美季著

迷宮庭園
—華術師 宮籠彩人の謎解き—

宮籠彩人は、花の精と意思疎通できる能力を持つ。彼が広大な庭から選ぶ花は、その人の運命を何処へ導くのか。鎌倉奇譚帖開幕！

知念実希人著

天久鷹央の推理カルテ

お前の病気、私が診断してやろう——。河童、人魂、処女受胎。そんな事件に隠された〝病《ナゾ》〟とは？ 新感覚メディカル・ミステリー。

谷川流著

絶望系

助けてくれ——。きっかけは、友人からの電話だった。連続殺人。悪魔召喚。そして明かされる犯人は？ 圧巻の暗黒ミステリ。

水生大海著

消えない夏に僕らはいる

5年ぶりの再会によって、過去の悪夢と向き合う少年少女たち。ひりひりした心の痛みと、それぞれの鮮烈な季節を描く青春冒険譚。

小野不由美著

魔性の子
―十二国記―

孤立する少年の周りで相次ぐ事故は、何かの前ぶれなのか。更なる惨劇の果てに明かされるものとは――「十二国記」への戦慄の序章。

小野不由美著

月の影　影の海
（上・下）
―十二国記―

平凡な女子高生の日々は、見知らぬ異界へと連れ去られ一変した。苦難の旅を経て「生」への信念が迸る、シリーズ本編の幕開け。

小野不由美著

東京異聞

人魂売りに首遣い、さらには闇御前に火炎魔人、魑魅魍魎が跋扈する帝都・東京。夜闇で起こる奇怪な事件を妖しく描く伝奇ミステリ。

小野不由美著

屍鬼
（一〜五）

「村は死によって包囲されている」。一人、また一人、相次ぐ葬送。殺人か、疫病か、それとも……。超弩級の恐怖が音もなく忍び寄る。

上橋菜穂子著

精霊の守り人
野間児童文芸新人賞受賞
産経児童出版文化賞受賞

精霊に卵を産み付けられた皇子チャグム。女用心棒バルサは、体を張って皇子を守る。数多くの受賞歴を誇る、痛快で新しい冒険物語。

上橋菜穂子著

狐笛のかなた
野間児童文芸賞受賞

不思議な力を持つ少女・小夜と、霊狐・野火。森陰屋敷に閉じ込められた少年・小春丸をめぐり、孤独で健気な二人の愛が燃え上がる。

里見 蘭 著
さよなら、ベイビー

謎の赤ん坊を連れてきた父親が突然死。ひきこもり青年と赤ん坊の二人暮らしを待ち受ける「真相」とは。急転直下青春ミステリー！

伊坂幸太郎著
重力ピエロ

ルールは越えられるか、世界は変えられるか。未知の感動をたたえて、発表時より読書界を圧倒した記念碑的名作、待望の文庫化！

伊坂幸太郎著
ゴールデンスランバー
山本周五郎賞受賞
本屋大賞受賞

俺は犯人じゃない！ 首相暗殺の濡れ衣をきせられ、巨大な陰謀に包囲された男。必死の逃走。スリル炸裂超弩級エンタテインメント。

有川 浩 著
レインツリーの国

きっかけは忘れられない本。そこから始まったメールの交換。好きだけど会えないと言う彼女にはささやかで重大なある秘密があった。

有川 浩 著
キ ケ ン

様々な伝説や破壊的行為から、周囲から忌み畏れられていたサークル「キケン」。その伝説的黄金時代を描いた爆発的青春物語。

近藤史恵著
サクリファイス
大藪春彦賞受賞

自転車ロードレースチームに所属する、白石誓。欧州遠征中、彼の目の前で悲劇は起きた！ 青春小説×サスペンス、奇跡の二重奏。

新潮文庫最新刊

イラスト　THORES 柴本
デザイン　團夢見 imagejack

ここで死神《しにがみ》から残念《ざんねん》なお知《し》らせです。

新潮文庫　え－25－1

平成二十七年一月一日発行

著者　榎《え》田《だ》ユウリ
発行者　佐藤隆信
発行所　株式会社新潮社

郵便番号　一六二―八七一一
東京都新宿区矢来町七一
電話　編集部(〇三)三二六六―五四四〇
読者係(〇三)三二六六―五一一一
http://www.shinchosha.co.jp

価格はカバーに表示してあります。

乱丁・落丁本は、ご面倒ですが小社読者係宛ご送付ください。送料小社負担にてお取替えいたします。

印刷・錦明印刷株式会社　製本・錦明印刷株式会社

ISBN978-4-10-180022-6　C0193